GRAND ÉCRAN

LES ANIMAUX PRÉHISTORIQUES

DU XXᵉ SIÈCLE

Texte de
Fulco Pratesi
Marco Ferrari

Adaptation française de
Nicole Brissaud

GRÜND

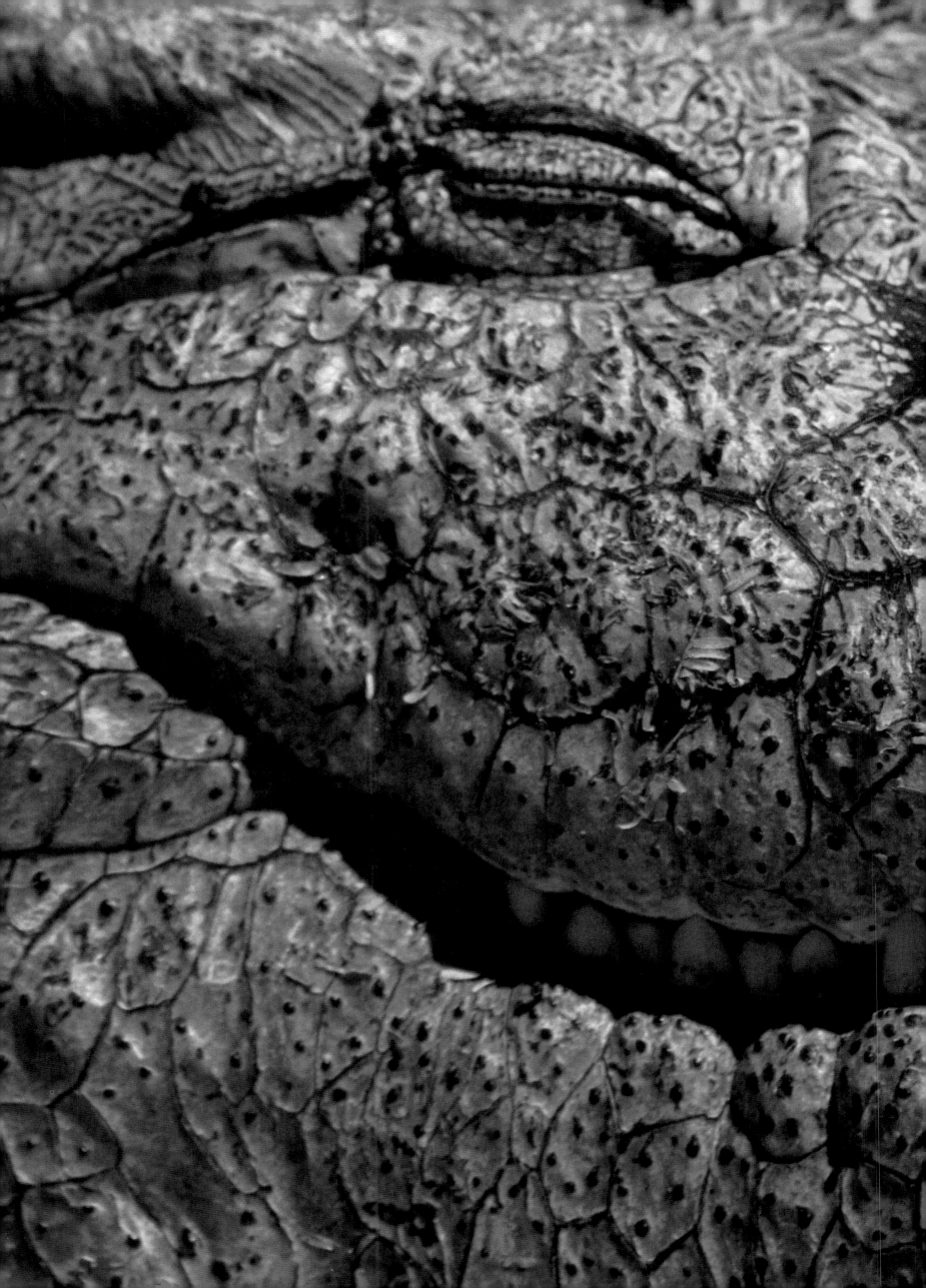

Préface
Fulco Patresi

Texte
Marco Ferrari

Responsable éditorial
Valeria Manferto De Fabianis

Projet graphique
Patrizia Balocco

Planches en couleurs
Mina Carpi

Dessins à l'encre de chine
Mina Carpi

SOMMAIRE

Les éditeurs tiennent à remercier pour leur collaboration : Emanuele Coppola de *Panda Photo* (Rome) et Barry Andrewartha de *Sportdiving Magazine*, (Victoria, Australie)

Adaptation française de **Nicole Brissaud**
Texte original de **Marco Ferrari**
Première édition française 1992 par Librairie Gründ, Paris
© 1992 Librairie Gründ pour l'adaptation française
ISBN : 2-7000-5450-4
Dépôt légal : juin 1992
Édition originale 1992 par *Edizioni White Star*
sous le titre original *Animali preistorici del XX secolo*
© 1992 *Edizioni White Star*
Photocomposition : Compo 2000, Saint-Lô
Imprimé à Singapour

Pages 2-3
Iguane des Galapagos

Pages 4-5
Crocodile du Nil

Pages 6-7
Requin blanc

Pages 8-9
Gorille de montagne

Pages 10-11
Éléphants africains

Pages 12-13
Baleine à bosse ou jubarte

Page 144
Morse

PRÉFACE

L'un des premiers objets qui attisa ma fantaisie d'enfant, en m'introduisant dans le monde de la nature, fut un volume de Figuier, naturaliste du siècle dernier. Des pages jaunies de son livre et des gravures fascinantes qui l'ornaient, enveloppées de mystère et de ténébreuses ombres romantiques, se dégageaient mille visions de paysages archaïques : je revois les marécages du carbonifère couverts de fougères monstrueuses et de sigillaires à l'écorce géométrique, les prairies que parcouraient d'effrayants dinosaures, les horizons noyés par les fumées des volcans dans lesquels s'ébattaient des ptérodactyles aux ailes de chauve-souris et au bec de crocodile, les rives d'improbables océans du jurassique hérissées de dents, de cous anguiformes, de nageoires démesurées. Ce livre, qui s'appelait, je crois, La Terre avant le Déluge donnait une idée ensorcelante de ce à quoi devait ressembler notre planète avant la catastrophe qu'il décrivait, je m'en souviens encore, comme une gigantesque inondation submergeant toute la Terre, sous un ciel couleur de plomb et strié d'éclairs.

Depuis cette époque, j'ai toujours été sensible au charme de la préhistoire, sentiment qui s'éveille à l'improviste dans telle ou telle situation.

Je me souviens d'une série de dents de requin, encore toutes brillantes, nettes et pointues, fossilisées dans un massif rocheux de la Majella, à l'entrée de la splendide vallée de l'Orfento, aujourd'hui royaume des loups, des cerfs, des aigles et des chevreuils. Et à 1 000 mètres d'altitude, au milieu des hêtres et des rochers enneigés, je voyais glisser en imagination l'impalpable et grise silhouette de l'ancien carcharodon qui sévissait alors dans ces mers très anciennes. Une autre fois, dans une petite vallée au milieu du parc national des Abruzzes, je me retrouvai comme par magie plongé dans le milieu bouillonnant de vie de la barrière de corail australienne : ces cailloux historiés n'étaient-ils pas les restes d'anciens madrépores cervelliformes ? Et ces baguettes de pierre ne ressemblaient-elles pas aux piquants des oursins que j'avais vus, enfouis dans les anfractuosités des coraux qui vivent dans les atolls des Maldives ? Ainsi, d'un seul coup, hêtres, mousses, geais et corbeaux impériaux cédèrent-ils la place dans mon imagination à la lagune d'il y a plusieurs millions d'années, où poissons-papillons, murènes, poissons-chirurgiens et raies-mantes jouaient parmi les vagues bordant le splendide décor multicolore du reef tropical.

Encore un souvenir : en se promenant dans une carrière de gravier, aux portes de Rome, l'un de mes amis, paléontologiste amateur, découvrit un immense fémur de mammouth. Je me souviens encore avec quel soin l'on nettoya et emballa ce fragment de pierre sableuse, provenant de l'un des plus grands mammifères terrestres qui aient jamais existé.

Une autre fois, alors que j'observais des oiseaux dans un vallon bordant la Via Aurelia, je découvris dans un caniveau qui venait d'être creusé, un étrange « caillou » cylindrique et recourbé qui pointait dans l'argile. Étant donné le lieu, je pensais aussitôt à une défense d'éléphant. Mais quelle ne fut ma surprise quand les experts de l'université m'annoncèrent que ce reste terrible appartenait non pas à un pachyderme mais à un bœuf sauvage primitif, l'un de ces terribles aurochs dont Virgile lui-même parle dans les Géorgiques, les appelant sylvestres uri, qui paissaient en ces lieux, dans des temps préhistoriques.

Enfin, pour évoquer des ères plus proches de la nôtre, je me rappelle un jeu, auquel nous jouions, enfants, dans une carrière creusée dans la vallée du Tibre, non loin de Rome. D'un coup de marteau bien asséné, nous brisions cette roche blanche et tendre qui, souvent, nous révélait ainsi le trésor qu'elle recélait depuis la nuit des temps : des feuilles de charme ou de tilleul (semblables aux nôtres) mais surtout des petits poissons, parfaitement conservés dans la pierre, qui avaient dû tomber au fond de l'antique marécage et y être archivés parmi les squelettes de diatomées qui forment la roche fossile.

Aucun dinosaure par contre.

Dans nos contrées, vu l'ancienneté relative du territoire, il n'y a que peu de traces de ces énormes et terrifiants reptiles. Il faut aller dans d'autres pays, si l'on ne veut pas se contenter de reconstitutions, pour admirer les empreintes qu'ils ont laissées dans les couches géologiques, pour observer les macabres colliers de vertèbres que les vents du désert ont mis à nu, pour trouver des restes de l'époque du Crétacé, quand les dinosaures connurent l'apogée de leur splendeur - pour disparaître ensuite dans une terrible catastrophe.

Bien sûr ce n'était pas le Déluge biblique. Mais un autre châtiment divin, survenu sur la troisième planète du système solaire où, selon les interprétations les plus récentes, un immense météore se serait désintégré projetant des nuages de poussière et de gaz dans l'atmosphère terrestre pendant des siècles. Ceci aurait provoqué un interminable hiver capable d'anéantir et de faire disparaître ces reptiles colossaux. Du moins, c'est ce qu'affirment ceux qui, se basant sur les strates d'iridium — métal rare à la surface de la Terre mais que l'on trouve en abondance dans les météorites — présentes en plusieurs endroits du globe, parmi les roches de la fin du Crétacé, attribuent à cette collision cosmique l'extinction des dinosaures. Dinosaures certes disparus, mais qui, sous des formes et des aspects que nous allons voir et illustrer dans ce livre, sont encore présents parmi nous.

Durant les deux premiers milliards d'années de notre planète, il n'y a aucune trace de formes de vie telle que nous l'entendons. Les premières roches, à la suite d'épouvantables convulsions, avaient jailli des entrailles de la terre, des avalanches de lave et de magma se répandaient sur le globe encore brûlant, des montagnes et des volcans naissaient et disparaissaient au milieu d'explosions terrifiantes mais, dedans, il n'y avait rien qui pût faire penser à une quelconque forme de vie. Et pourtant, déjà, dans le chaudron brûlant et pullulant des océans primitifs, des décharges électriques, et des réactions chimiques permettaient le miracle : l'apparition d'une molécule éphémère, transparente et évanescente, dotée de la merveilleuse possibilité de se reproduire, identique à elle-même. À partir des ces balbutiements se serait formée, après des centaines de millions d'années, la première véritable cellule, oh combien rudimentaire

L'humidité très élevée des forêts tropicales empêche une fossilisation parfaite et les restes qui proviennent de ces milieux sont fort peu nombreux. Il n'est cependant pas improbable de penser que les forêts furent dans le passé, tout comme elles le sont actuellement, un habitat idéal pour les reptiles. Les iguanes sont les représentants modernes d'un groupe qui domina la Terre pendant des millions d'années, les dinosaures ; aujourd'hui encore ils conservent quelques caractéristiques de leurs volumineux ancêtres. **En haut**, un basilic, proche cousin de l'iguane ; **à droite**, une vue du superbe Dorrigo National Park, en Australie.

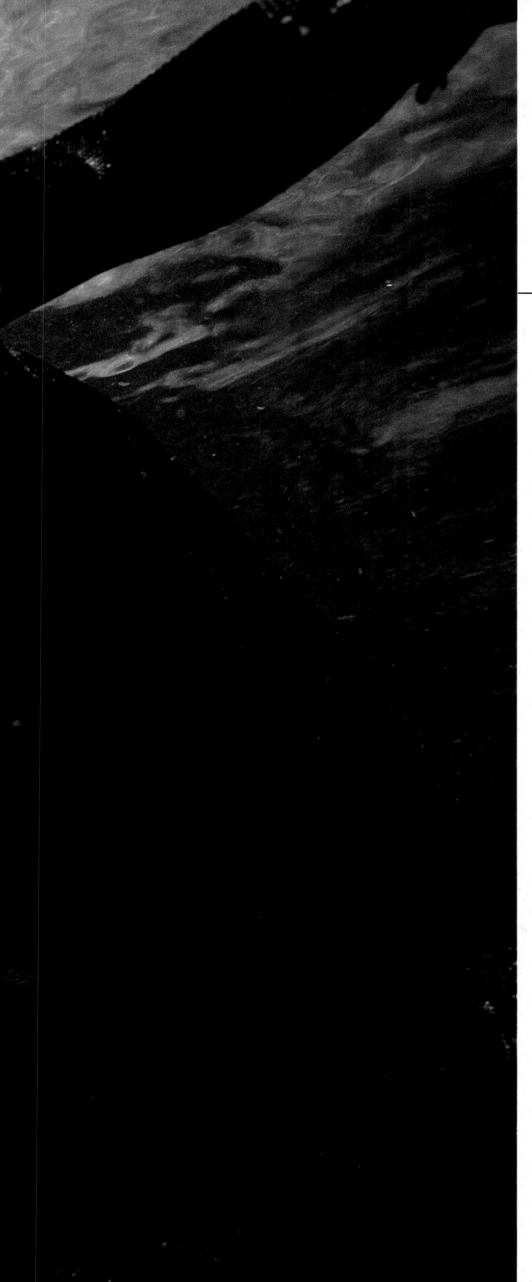

L'iguane marin des Galapagos est l'unique reptile végétarien qui se nourrit dans la mer, en arrachant les algues du fond. Peut-être ses ancêtres carnivores gagnèrent-ils les îles à la nage, ou sur un tronc d'arbre, pour évoluer ensuite, dans la solitude de ce lointain archipel, en une espèce très particulière.

encore ; quelques autres millions d'années plus tard apparurent les premiers assemblages de cellules vivantes, trop fragiles pour laisser une trace dans les sédiments. Enfin, put-on voir les premières créatures organisées : des algues unicellulaires, dérivant dans les mers du Cambrien, des trilobites, et autres créatures à carapace souple, des vers et des méduses.

Mais c'est il y a environ 400 millions d'années que les premières créatures d'une certaine dimension et dotées de caractéristiques assez semblables à celles que nous connaissons aujourd'hui, commencèrent à peupler la Terre et à laisser leurs empreintes fossiles dans les gisements géologiques.

Mais quels ont donc été les ancêtres des plantes et des animaux qui peuplent aujourd'hui la Terre ? En ce qui concerne le monde végétal, à part les algues qui, comme nous l'avons vu, ont colonisé les océans dès les premiers instants (c'est grâce à l'oxygène qu'elles libèrent que la vie sur la planète est aujourd'hui possible), il semblerait que les premières plantes adaptées à la vie à l'air libre aient été les Cooksonia ; des plantes à racines élémentaires ne dépassant pas cinq centimètres de haut, sans feuilles, sans fruits, et dont la reproduction était assurée par l'essaimage de spores contenues dans un petit sac sphérique.

De même, les animaux avant de conquérir les terres ont vu le jour dans les vases sombres et prolifiques des fonds marins. D'après ce que l'on peut déduire de l'étude des roches, les premiers poissons sont apparus il y a environ 425 millions d'années. Ils sont encore primitifs, leur corps est recouvert de plaques osseuses comme un chevalier du Moyen Âge ; ne possédant pas de mâchoires, ils rampaient sur le fond des mers, en suçant les parcelles de nourriture qui s'y trouvaient. Les Ostracodermes, comme on les a appelés, ont disparu au Dévonien, laissant la place à des animaux marins mieux équipés pour la lutte pour la survie, les Placodermes, poissons déjà pourvus de nageoires et d'écailles. Les successeurs des Placodermes dans les profondeurs abyssales, sombres et tumultueuses, se dotèrent de sacs respiratoires, ébauches de poumons et de nageoires ressemblant aux pattes des premiers amphibiens. Les poissons crossoptérygiens, très semblables aux coelacanthes découverts au début de notre siècle dans les eaux des îles Comores, pouvaient accomplir leurs premiers pas hésitants. Ils évoluèrent durant des millions d'années, dans un milieu rendu vivable grâce à l'oxygène rejeté par les végétaux.

Cela se passait il y a 365 millions d'années.

Dans des roches du Groenland de cette même époque, les géologues ont découvert les restes d'un être que l'on peut considérer comme le point de passage entre les poissons et les amphibiens, et donc comme l'ancêtre des salamandres modernes (ce que fut l'ostracoderme pour les poissons actuels). Avec ses pattes désormais bien développées et articulées, ses mâchoires efficaces pleines de dents et ses poumons plus ou moins fonctionnels, cette créature humide et rampante pouvait finalement quitter les océans préhistoriques où pullulaient dents, mandibules et nageoires afin de commencer à coloniser les rivages et les côtes de notre planète où la nourriture était en abondance. En effet, depuis

30 millions d'années déjà, les premiers insectes s'étaient libérés de la vie aquatique et avaient prospéré, comme les végétaux, sur la terre.

L'Ichthyostega, tentative plutôt réussie de la sélection naturelle pour obtenir un modèle d'animal finalement terrestre, fut un succès. On retrouve aujourd'hui ses restes fossiles sous diverses formes en Europe, en Amérique du Nord et dans certaines zones de l'Asie. Bien entendu, la marche des animaux vers la conquête de la terre ferme ne devait pas s'arrêter avec cet animal.

Ensuite le merveilleux mécanisme de l'évolution accomplit encore un pas énorme avec l'apparition d'une créature capable de pondre un œuf, à coquille dure et solide, bien différent des œufs inermes et gélatineux des poissons et des amphibiens.

Le fait de pouvoir protéger les embryons même à l'extérieur du berceau protecteur de l'élément liquide rendit plus indépendantes les nouvelles créatures que la sélection naturelle, à travers des millions d'années de travail, était en train d'expérimenter. Le premier œuf fossile certifié qui fut trouvé dans des sédiments du Texas, remonte à 280 millions d'années. Là encore, le passage de l'état d'amphibien à l'état de reptile, qui allait dominer pendant des millions d'années, fut laborieux et interminable : on ne compte plus les modèles intermédiaires, encore à moitié amphibiens mais déjà à moitié terrestres.

L'un des animaux que l'on peut considérer comme l'un des plus sûrs ancêtres des reptiles est l'hylonomus, qui fit son apparition sur la Terre il y a 300 millions d'années puis disparut dans la nuit des ères géologiques quelque 100 millions d'années plus tard. Il s'agissait d'un saurien très semblable à un lézard et mesurant de quatorze à cinquante centimètres.

Parmi l'immense et spectaculaire famille des dinosaures qui envahit l'ensemble du globe jusqu'à leur extinction subite à la fin du Crétacé et qui comprend des formes aussi variées que l'épouvantable brontosaure, le terrible tyrannosaure, le maladroit tricératops, le mince iguanodon et tant d'autres, énormes ou minuscules, carnivores ou herbivores, entièrement terrestres ou retournés, comme poussés par une nostalgie ancestrale, au milieu aquatique original — certaines espèces préférèrent une autre voie.

Quelques-unes, après avoir modifié leurs membres antérieurs pour leur permettre de soutenir une mince membrane de peau, s'aventurèrent dans le ciel : les ptérodactyles. D'autres, qui ne descendaient cependant pas de ces derniers, se couvrirent de plumes et écartèrent leurs membres jusqu'à former de véritables ailes, devenant ainsi, comme en témoignent les pierres lithographiques découvertes en Allemagne, les précurseurs des oiseaux. L'apparition des Archaeopterix, l'un des premiers oiseaux connus, remonte à 140 millions d'années.

Et les mammifères ?

De l'immense famille des reptiles, comme nous l'avons vu, de toutes formes et de toutes dimensions, une autre branche s'est détachée à une certaine époque. Il s'agit d'un groupe de créatures petites et discrètes qui commence à évoluer en empruntant des sentiers non encore battus. À force d'essais et de tentatives, les ancêtres des mammifères (car c'est d'eux qu'il s'agit) réussirent à surmonter les bouleversements climatiques et biologiques qui avaient causé la disparition des dinosaures. Avec leurs membres plus longs, plus minces et mieux disposés par rapport à l'ensemble du corps ; avec leur régulation thermique facilitée par un manteau de poils qui isolait du froid et de la chaleur ; avec leurs systèmes de reproduction plus modernes et plus adaptés qui n'exigeaient plus une production importante d'œufs mais assuraient une longue protection au fœtus grâce à un placenta efficace, ces créatures primitives se révélèrent mieux équipées pour la dure lutte pour la survie. L'un des nombreux précurseurs des mammifères modernes fut sans doute l'une d'entre elles, le cynognathe, un animal qui vécut il y a 250 millions d'années : c'est encore un reptile bien sûr mais qui a déjà emprunté le chemin qui le conduira vers le destin définitif de mammifère ; son squelette et son crâne ressemblent à ceux d'un chien, ses pattes sont situées sous son corps et non sur les côtés comme on le rencontre encore aujourd'hui chez les sauriens, il a des vibrisses sur le museau et peut-être une fourrure : c'est l'une des nombreuses formes écartées, mais qui a été fort utile pour la conformation définitive (du moins jusqu'à présent) des mammifères terrestres.

Et l'homme ?

L'homme est le dernier, dans le temps, à apparaître sur la scène de la planète. Depuis l'australopithèque — dont les premiers vestiges remontent à 3 millions d'années — jusqu'à nous, l'espèce humaine a subi de nombreuses modifications importantes. Et le chemin parcouru a été long et fascinant depuis le jour où, poussé par le besoin ou par quelque changement des conditions climatiques, le singe de la forêt s'est aventuré à rechercher des proies dans la savane préhistorique, acquérant, au fil des millénaires, la position debout, la vision binoculaire, la préhension des membres antérieurs, une masse cérébrale de plus en plus importante et enfin la capacité d'utiliser des outils qui, de la nuit des temps jusqu'à nos jours a conduit la civilisation des premiers outils en silice à l'ère des puces au silicium équipant les ordinateurs.

De toute cette merveilleuse saga qui débuta avec les premières algues bleues et unicellulaires qui erraient dans les océans de l'ère archéozoïque jusqu'au programmateur d'ordinateur et au prix Nobel, il reste naturellement des traces sur notre planète. Comme dans toute histoire qui se respecte, des lambeaux et des vestiges des époques passées, des témoignages archéologiques et des souvenirs constellent le chemin de la vie. Et tout d'abord des fossiles : des squelettes, des carapaces, des coquilles, des empreintes, des valves qui pullulent dans les strates géologiques depuis les époques les plus archaïques, des Dolomites au fin fond du Grand Canyon du Colorado. Ce sont d'ailleurs ces vestiges qui permettent au géologue et au paléontologiste de dater les différentes roches et de déterminer l'évolution de tel ou tel territoire.

Mais au-delà des fossiles et des vestiges lapidaires, le long fleuve des ères a laissé sur ses rives ou a porté jusqu'à nous d'autres reliques précieuses, qui ne sont pas encore toutes connues dans chaque classe des règnes animal et végétal.

Les profondeurs marines pullulent encore de formes de vie dont la structure fondamentale remonte à plusieurs millions d'années. Le nautile, **en haut**, est l'unique céphalopode vivant qui possède une coquille externe. Pratiquement identique à ses homologues qui vécurent il y a presque 400 millions d'années, il a survécu à toutes les grandes extinctions du passé. Les méduses, **à droite**, n'ont presque pas changé depuis l'époque où on les vit apparaître dans les fossiles. L'acquisition d'armes très efficaces, comme les cellules urticantes ou nématocystes, a permis à ces animaux à la structure primitive de continuer à peupler les mers du globe.

Examinons les plantes tout d'abord. Croyez-vous vraiment que les splendides fougères arborescentes des forêts tropicales humides ou les sagoutiers des jungles tropicales soient très différentes des palmiers, des fougères et des sigillaires du Jurassique ? Les gouttes de résine transformées en ambre tout au long de millions d'années, s'égouttaient-elles de conifères très différents de ceux qui ornent nos Alpes ? Il existe des plantes palustres (quel hasard !) comme les prêles, qui rappellent de très près les essences qui apparaissent dans les reconstitutions des paysages du Carbonifère et dans les strates de certaines roches.

Il en va de même pour les poissons. Songez que les coelacanthes de l'Océan Indien reproduisent sans presque aucune variation, des poissons qui se sont éteints il y a des millions d'années. Le coelacanthe en fait, qui fut découvert il y a une cinquantaine d'années seulement, représente l'unique et dernier descendant connu d'une branche phylétique que l'on estimait complètement éteinte depuis des millions d'années. Les argonautes et les nautiles, ces céphalopodes à l'élégante coquille géométrique, n'évoquent-ils pas les immenses ammonites qui peuplèrent les mers du triassique et ornent aujourd'hui de leurs belles spirales tant de pierres décoratives ?

Quand on observe les grandes limules qui grouillent parfois sur les plages du nord de l'Amérique comment ne pas remarquer leur ressemblance avec les notostracés du Permien ? Même coquille, en forme de bouclier, même queue, même silhouette.

Quant aux reptiles, vu l'abondance d'espèces archaïques dont ils proviennent, les exemples sont innombrables : comment ne pas mentionner le merveilleux sphénodon de la Nouvelle-Zélande, pratiquement identique à l'homeosaure,

un reptile du Jurassique de l'ordre des rhynchocéphales, que l'on pensait disparu à la fin du Crétacé, puisque dans les strates rocheuses successives on n'en trouvait plus de restes fossiles.

Même les requins, les crocodiles et les tortues conservent, et pas seulement dans leur aspect archaïque, des réminiscences tangibles de leurs ancêtres d'il y a des millions d'années ; et parmi les oiseaux, comment oublier l'hoazin des forêts de l'Amérique du sud, véritable fossile vivant, qui rappelle étrangement certains oiseaux préhistoriques ayant disparu il y a des millions d'années ?

Si l'on observe des époques plus proches de la nôtre et des ancêtres qui nous touchent de près, voici le célèbre ornithorynque qui pond des œufs et allaite ses petits, voici l'échidné et voici les primates, nos trisaïeuls et nos grands-oncles. Même s'ils appartiennent à des branches différentes de l'arbre généalogique compliqué qui est le nôtre, les gorilles, les orangs-outangs et les chimpanzés sont proches de nous et représentent notre lien le plus valable avec la nature, un lien que nous faisons tout pour oublier et négliger, coupant les racines mêmes de notre existence.

Ce livre, que vous allez lire, veut vous faire découvrir tout ce que l'évolution, qui a duré des centaines de millions d'années, a laissé sur notre planète ; mais il veut surtout vous faire prendre conscience de l'importance, ne serait-ce qu'à cause de l'interminable histoire qu'elle porte avec elle, de la plus minuscule et la plus insignifiante parcelle de ce que nous appelons la Vie.

FULCO PRATESI

En dépit de son aspect curieux et primitif, l'hoazin est un oiseau très évolué, aux adaptations complexes. Un mode de vie très singulier et un régime à base de feuilles et de fruits ont fait de ce petit galliforme une réplique de l'ancêtre de tous les oiseaux, l'Archaeopteryx. Son vol est bref et laborieux, ses petits portent encore de minuscules griffes sur les ailes et ses plumes sont lâches et ébouriffées. À ce propos notons que ce sont les plumes — qui sont peut-être apparues au début pour leur pouvoir thermorégulateur mais qui se sont vite transformées en organes utiles pour le vol — qui ont permis aux oiseaux de se diversifier et d'exploiter pratiquement tous les habitats terrestres.

*Pages 22-23
Éruption volcanique dans les îles Hawaï*

*Pages 24-25
Forêt tropicale humide*

INTRODUCTION

S ic transit gloria mundi.

Jusqu'à il n'y a pas si longtemps des adjectifs tels que « primitif » ou « primordial » suggéraient plutôt quelque chose d'incomplet et de grossier et des expressions comme technologie primitive ou comportement primordial étaient loin d'être positives. Aujourd'hui, très lentement, on commence à redécouvrir le charme du non moderne, du passé, des périodes où tout était moins compliqué. Ainsi, primordial évoque-t-il désormais des temps lointains et fascinants, au milieu de brumes flottantes et de forêts primitives ; quand régnaient sur terre les terribles dinosaures ou les féroces mammifères prédateurs et que l'espèce humaine n'existait pas.

Ces temps-là ne sont plus mais quelques lambeaux de forêts de plus en plus menacées, des déserts glacés ou d'immenses étendues marines demeurent.

Ce livre se propose de vous faire découvrir le primordial l'intouché, les lieux où la nature règne en maître, où les dynamiques écologiques sont respectées, où la richesse biologique n'a pas encore diminué. Une sorte d'état de béatitude, en apparence, où animaux et plantes vivent côte à côte. Les recherches modernes ont toutefois révélé que l'image de Tennyson d'une « nature aux dents et aux griffes rouges » n'est finalement pas si éloignée de la réalité.

Prédations, agressions, mouvements et contre-mouvements dans l'évolution ont amené les écosystèmes à un degré de complexité extrême, mais pas nécessairement à une harmonie inhérente. Les espèces, et les écosystèmes dans leur ensemble, vivent selon des règles où c'est souvent la loi du plus fort qui l'emporte. Pas toujours cependant car, comme l'a aussi remarqué Darwin, on voit s'installer dans la nature, dès que cela est possible, le principe de la collaboration, toujours mû par un intérêt réciproque. On découvre seulement maintenant l'importance et la portée de la symbiose mutualiste dans de très nombreux écosystèmes. Le critère que nous avons choisi pour illustrer cette vision du monde est essentiellement écologique ; nous avons divisé la surface terrestre en cinq grands domaines de vie : les mers, les zones humides ou marais, les prairies, les montagnes et les forêts qui, dans les grandes lignes, reprennent les concepts de la biogéographie. Dans ces milieux, nous sommes partis à la recherche des espèces qui les caractérisent le mieux et qui contribuent le plus à créer une atmosphère de véritable « monde perdu ».

Nous avons dû pour cela surmonter plusieurs difficultés ; ainsi, dans la mer, que nous avons tout d'abord étudié. Dans ce milieu qui peut sembler à première vue presque unitaire, des changements de quelques degrés dans la température ou le rayonnement peuvent entraîner des modifications radicales de la composition des écosystèmes.

Ce tour d'horizon, bref sans doute, est indispensable pour découvrir la richesse et la beauté d'une planète que nous nous contentons d'exploiter sans vraiment bien la connaître.

Pour les forêts, ces biomes dont la surface est essentiellement couverte de grands arbres, le problème se pose d'une façon encore plus nette. À l'état naturel, on distingue divers types de couverts arborescents, lesquels sont surtout liés à la latitude et aux climats régionaux. Il existe au moins trois grandes subdivisions. La première est la forêt boréale, où les espèces dominantes sont les conifères ; elle est très diffusée et varie peu. On trouve ensuite la forêt de feuillus qui, en hiver, perd ses feuilles et change complètement d'aspect ; répandue aux latitudes moyennes, c'est elle qui a subi le plus fortement l'impact de la transformation humaine. Enfin, il y a la plus complexe de toutes, la forêt tropicale. Les espèces végétales et animales qui la peuplent sont innombrables ; on considère d'ailleurs ces forêts comme les écosystèmes les plus riches et les plus actifs de la Terre.

Puis, nous avons examiné les zones humides, moins étendues mais tout aussi importantes, qui comprennent des zones apparemment marginales comme les zones de passage pour les oiseaux migrateurs, ou de reproduction pour d'innombrables espèces de poissons.

Ensuite, nous avons décrit les déserts ainsi que les savanes et les steppes même si, au sens large, ce ne sont pas des zones désertiques. C'est dans ce type de milieu que vivent des grands ongulés et certains des prédateurs les plus connus, comme les lions, les hyènes, les léopards et les guépards.

Dans la montagne, nous avons classé, pour d'évidentes ressemblances écologiques, les milieux extrêmes que sont les pôles et la toundra.

Ce tour d'horizon, bref sans doute, est indispensable pour découvrir la richesse et la beauté d'une planète que nous nous contentons d'exploiter sans vraiment bien la connaître.

Les conditions difficiles des milieux froids, leur basse productivité et le manque de nourriture, ont permis la survie d'un très petit nombre d'espèces animales. Les ours, **en haut**, sont des habitués des zones froides. Autrefois, dans l'Europe couverte de neige de l'époque des glaciations, certaines espèces d'ours disputèrent à l'homme le statut d'espèce dominante. Repoussés vers les milieux marginaux, il n'y a que dans l'Arctique que les ours blancs peuvent encore chasser en relative tranquillité les phoques qui surgissent des trous de la banquise. **À droite**, un macaque japonais : durant les rudes hivers, la neige est un phénomène normal

Pages 28-29
Rhinocéros indien

LA MER

L'eau a toujours été inextricablement liée à la vie. Les propriétés mêmes de la molécule (en particulier son haut pouvoir solvant et sa capacité à agir comme filtre efficace contre les rayons solaires ultraviolets et les variations de température) ont été indispensables pour l'origine et les premiers développements des êtres vivants. Aux premiers stades de l'origine de la vie d'autres caractéristiques physiques et chimiques particulières ont joué un rôle de tampon entre les délicates molécules vivantes et les conditions environnantes défavorables. Aujourd'hui encore l'eau est présente en quantité variable dans chaque espèce animale ou végétale et elle est indispensable pour la vie telle que nous la connaissons.

L'histoire de l'évolution dans le milieu liquide a commencé il y a quelque 3 milliards et demi d'années (peut-être même 3,8 milliards). Notre planète venait à peine de se refroidir que déjà de complexes réactions chimiques entre les molécules organiques élaboraient les premières formes de la vie. Ces interactions étaient guidées par des forces chimiques et physiques bien connues ; mais leur action s'est faite sur la base de principes encore peu connus qui entraînèrent presque automatiquement une augmentation de la complexité des systèmes.

À travers une rudimentaire méthode d'essais et d'erreurs les premières molécules découvrirent les modalités de leur réplication et de leur duplication. L'eau permit que ces composés fragiles, sortes de longs colliers d'aminoacides, puissent « vivre » et interagir d'une façon de plus en plus complexe entre eux et avec le milieu, sans être ni décomposés ni transformés. Le passage des molécules à de véritables cellules simples, puis à des être pourvus de noyau (et finalement aux pluricellulaires) semble s'être fait presque automatiquement, vers une complexité et une organisation plus grandes des vivants. L'énorme laps de temps qui s'est écoulé depuis le début de l'histoire de la vie sur la Terre a justement permis aux espèces qui ont vécu dans l'eau, et en particulier dans les mers, de se diversifier et d'aller au-devant de véritables explosions en matière d'évolution.

Au début du Cambrien par exemple (il y a environ 570 millions d'années), on vit naître en très peu de temps, géologiquement parlant, des centaines d'espèces différentes, appartenant à tous les plans d'organisation que nous connaissons (et à d'autres encore, aujourd'hui disparus). On vit aussi se fixer les premiers rudiments des lois de l'écologie. Les *producteurs*, c'est-à-dire les plantes, servaient de nourriture pour les *consommateurs primaires*, les herbivores ; ces derniers à leur tour étaient la proie des carnivores, les *consommateurs secondaires*. Et l'efficacité de ce transfert d'énergie (car au fond la photosynthèse comme la prédation ne sont que des

méthodes pour capter l'énergie du soleil) augmentait au fur et à mesure que le temps passait, en même temps que la complexité des rapports réciproques. Le résultat de ce processus est une richesse de vie qui est sans égale. La plupart des groupes (*phylae*) animaux vivent encore dans la mer, en particulier ceux qui sont considérés comme les plus primitifs. Les éponges, les cnidaires, les cténophores et les groupes « ésotériques » comme les priapuliens, les sipunculiens et les phoronidiens sont uniquement marins. Non seulement à l'origine de la vie, la mer a été aussi le point de départ des plus grands groupes d'espèces vivantes. Même ceux qui sont nés et qui se sont diversifiés sur la terre ferme, comme les reptiles et les mammifères, ont des « représentants » dans la mer. Les chéloniens (ou tortues) parmi les premiers et les cétacés parmi les seconds sont « redevenus » marins, même si l'on ne peut pas dire que les tortues soient complètement marines puisqu'elles doivent revenir sur la terre pour pondre leurs œufs fragiles.

Mais les vrais maîtres des mers sont les poissons. Ce sont leurs ancêtres qui, en transformant un arc branchial (c'est-à-dire les os qui soutenaient les branchies), ont « inventé » le plus extraordinaire instrument de nutrition et de réussite d'évolution, les mâchoires. La différence d'efficacité et de puissance offensive entre une lamproie, qui n'a pas de mâchoires, et n'importe quel poisson est énorme. On présume qu'il existe peut-être 30 000 espèces de poissons (au sens large), plus que tous les autres vertébrés réunis. Leurs adaptations et leur capacité de survivre dans des conditions limites sont extraordinaires : leurs dimensions sont des plus variées : du gigantesque requin-baleine aux minuscules mâles des poissons abyssaux qui passent toute leur vie comme parasites de leurs grosses femelles. Chez certaines espèces la capacité de supporter des températures, une salinité ou une pression extrêmes est très élevée. C'est parmi les poissons que nous trouvons les exemplaires les plus extraordinaires de « fossiles vivants », des espèces qui sont restées pratiquement inchangées depuis des dizaines ou parfois des centaines de millions d'années. Le coelacanthe est le plus connu mais beaucoup des poissons qu'on dit cartilagineux (les requins et les raies) ne diffèrent finalement pas tellement de leurs ancêtres d'il y a quelque quatre cent millions d'années. Le requin, quand il assaille sa proie, plus que des profondeurs marines surgit des profondeurs du temps. Les requins (et des formes moins connues mais tout aussi fascinantes comme les chimères) sont un exemple classique de groupe à succès. Chez certains la physiologie et l'anatomie ont évolué jusqu'à des niveaux si sophistiqués que peu d'autres vertébrés les dépassent ; leur corps cependant a conservé pour l'essentiel la forme du vertébré primitif.

*La mer est le biome terrestre qui rassemble le plus grand nombre d'animaux à l'apparence primitive, dont les ancêtres remontent parfois à plusieurs millions d'années. Mais l'espèce qui peut le plus s'enorgueillir du titre de fossile vivant est sans aucun doute le coelacanthe, **à droite**. Découvert par les Européens en 1938 (les pêcheurs des îles Comores le connaissaient depuis longtemps), et plus particulièrement par M. Courtenay-Latimer, responsable de l'**East London Museum**, en Afrique du Sud, lors d'une expédition du navire Nerine, cet étrange poisson possède toutes les caractéristiques de ses ancêtres qui, il y a plusieurs millions d'années, se différencièrent des rhipidistiens et se fixèrent dans une incroyable stabilité évolutive. La limule aussi, **en haut**, a une structure sans âge, très semblable à celle des limules d'il y a 400 millions d'années.*

Mais l'immense fascination qu'exerce la mer ne provient pas seulement de toutes les races qu'elle abrite, même si elles sont le fruit d'une évolution vieille de milliards d'années ; c'est leur union en un nombre apparemment infini d'écosystèmes qui attire chaque année les savants, les touristes et les *fish-watchers*. Les milieux marins sont les plus répandus et les plus uniformes parmi ceux que compte la terre. Les océans couvrent environ 71 % de la surface de la planète et, à part le cas particulier de l'océan ouvert, ils sont caractérisés par une énorme différence de conditions qui augmentent ce que les savants appellent les niches écologiques. D'une mer à l'autre peuvent varier la salinité, la température, la pression, la concentration de nourriture et donc le nombre d'espèces et la composition des écosystèmes. Plus le nombre des habitats est grand, c'est-à-dire les différents lieux physiques où les espèces peuvent chasser, se cacher ou pondre, plus sont élevées, pour les animaux et les plantes d'un milieu déterminé, les « chances de travail », c'est-à-dire les niches écologiques. Les rapports entre les vivants (prédation, symbiose, parasitisme) augmentent d'une façon encore plus rapide. La richesse d'un écosystème est justement définie par le grand nombre des interactions. L'une des caractéristiques fondamentales des écosystèmes marins est la présence, côte à côte, d'organismes à la structure primitive et d'autres extrêmement évolués, qui sont parfois en compétition entre eux. Les grands requins par exemple étaient présents, avec des formes très semblables à celles qu'ils ont aujourd'hui, dans les mers du Jurassique et dans le Crétacé à côté de reptiles marins tels que les plésiosaures, les cotylosaures et les ichthyosaures. Dans les mers d'aujourd'hui le requin blanc (*Carcharodon carcharias*) dispute certainement ses proies (de gros mollusques céphalopodes) aux cachalots, des mammifères extrêmement évolués. De la même façon, sur les côtes rocheuses, on peut trouver côte à côte des crustacés très spécialisés et de simples actinies ou oursins.

Une seule immersion dans la mer, en particulier dans un récif corallien ou près d'une côte rocheuse, suffit presque pour illustrer l'augmentation de complexité survenue dans l'évolution. On passe des méduses, pourvues d'un plan corporel élémentaire, aux annélides, parents des vers de terre, aux oursins et aux étoiles de mer, pour arriver aux crustacés, aux poissons et aux mammifères. Peu d'autres écosystèmes sans doute sont aussi riches que ceux de la mer, aussi franchement différents de nous, habitants de la terre, et aussi fascinants.

Les variables qui déterminent les différences entre les divers milieux marins sont essentiellement deux : le rayonnement solaire (qui influe sur la température et la photosynthèse, en particulier du phytoplancton) et la présence de nourriture. Quand ces deux éléments sont élevés, comme dans les mers tropicales peu profondes, cela crée les conditions favorables pour le développement de l'un des milieux les plus incroyables et les plus complexes de toute la planète : les récifs de corail. Il s'agit d'un véritable laboratoire de l'évolution, où des centaines d'espèces animales et végétales cohabitent en une série compliquée de rapports intra et interspécifiques qui remontent à la nuit des temps. Là, chaque espèce est bizarre, merveilleuse, surprenante. La stabilité de ces milieux, leur grande richesse en nourriture et leurs températures élevées en font des exemples de véritables mondes perdus, où tout se déroule selon des lois naturelles immuables et aujourd'hui encore en partie inconnues. Des études approfondies sur les communautés animales des barrières de corail ont cependant permis de préciser quelques principes fondamentaux de la science de l'écologie. La coexistence, sans compétition, entre les différentes espèces de poissons a été expliquée par la diversité de leur niche. Bien qu'ils soient en apparence semblables et qu'ils vivent côte à côte, certains se nourrissent de coraux, d'autres de petits organismes planctoniques, d'autres encore d'algues incrustantes ; certaines espèces survivent grâce à un régime à base de parasites qu'elles trouvent sur les écailles d'autres poissons. Là, les formes les plus incroyables et les couleurs les plus éclatantes ont une fonction précise de dissuasion ou de mimétisme. Il n'est guère surprenant qu'environ 6 à 8 000 espèces de poissons (soit 30 à 40 % de tous les poissons osseux) soient associées, d'une façon ou d'une autre, aux barrières de corail. Il existe d'autres communautés écologiques plus simples mais tout aussi fascinantes. Dans les froides mers arctiques et antarctiques, des courants marins de grande portée font remonter à la surface des milliers de tonnes d'éléments nourrissants (principalement phosphore et azote). Des milliards d'être vivants (phyto- et zooplancton, et crustacés plus gros) forment ainsi une chaîne alimentaire simple mais très importante, qui alimente les êtres marins sans doute les plus fascinants et les plus évolués de la Terre : les cétacés. Les baleines et les dauphins, successeurs écologiquement mais non taxinomiquement parlant, des grands reptiles marins qui régnaient dans les mers basses du Mésozoïque, sont au sommet des chaînes alimentaires dans presque toutes les mers. Grands prédateurs particulièrement efficaces, ils n'ont pas encore fini de dévoiler la richesse de leur comportement et la complexité de leurs méthodes de chasse et de rapports sociaux. Les bancs de baleines qui traversent des océans entiers sont de véritables groupes d'individus qui se connaissent personnellement et qui commu-

niquent entre eux avec des langages que nous ignorons, peut-être même en « se parlant » d'un bout à l'autre de l'océan.

Il est difficile d'imaginer que ces bêtes immenses, qui figurent parmi les plus gros animaux de la planète, soient issues d'espèces aux formes relativement banales, guère différentes de celles d'un chien, les mésonichidés. En un temps extrêmement court, en termes d'évolution, c'est-à-dire quelques dizaines de millions d'années, ces petits prédateurs prirent des formes complètement différentes. Leur corps s'allongea, leurs pattes postérieures disparurent, leurs pattes antérieures se transformèrent en nageoires, idéales pour la nage. Mais les transformations les plus spectaculaires furent celles qui permirent leur respiration même lorsque l'animal était presque complètement immergé, l'extraordinaire mise à bas sous l'eau et la réadaptation à un régime à base de plancton (pour certains groupes de cétacés). De cette façon, un animal terrestre devint complètement aquatique et se mit à dominer les mers du monde entier.

Les formes vivantes les plus bizarres sont celles qui vivent là où la lumière du soleil ne pénètre pas, à des centaines de mètres. Dans les mers profondes, des êtres étranges aux longs appendices, aux yeux atrophiés ou démesurément grands, recouverts de colonies de bactéries lumineuses, attirent d'autres poissons et se nourrissent de proies qui sont parfois plus grandes qu'eux. Des cadavres d'animaux morts et des déchets venus de la surface pleuvent continuellement vers le fond où ils sont rapidement décomposés par les bactéries. De cette façon on voit s'établir, même à des profondeurs abyssales, des chaînes alimentaires simples mais sûres qui possèdent, dans quelques rares individus aux formes étranges, leurs superprédateurs.

En dépit de décennies de recherches et d'expéditions, il est probable que les océans renferment encore beaucoup de secrets. Le coelacanthe, sans doute le plus célèbre des « fossiles vivants », a été découvert par les Occidentaux en 1938, dans les eaux des Comores. On pensait que cette espèce de poissons avait disparu il y a 80 millions d'années. L'un des plus grands requins existants, le requin à grande bouche comme on l'appelle (*Megachasma pelagios*), a été pêché et décrit en 1982, et l'on n'en connaît que deux exemplaires. Toujours dans les années quatre-vingts on a découvert l'un des écosystèmes les plus bizarres. Autour d'émanations sous-marines d'hydrogène sulfuré, à des profondeurs abyssales, se développe une flore bactérienne très riche qui à son tour alimente des annélides énormes ainsi que d'autres espèces, parfois de grosses dimensions. Leur caractéristique fondamentale est qu'il s'agit d'écosystèmes totalement indépendants de l'apport d'énergie solaire.

Dans les profondeurs

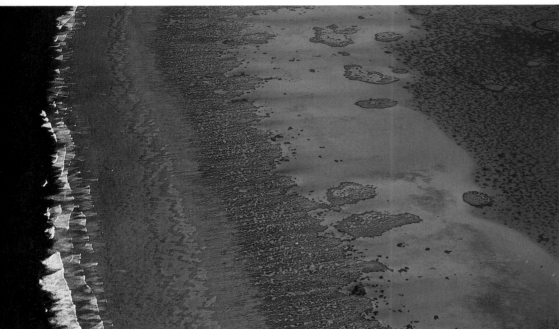

Les récifs coralliens sont les milieux marins les plus riches en vie ; **en haut à gauche**, la barrière australienne. Cette richesse découle aussi de leur ancienneté ; les premiers coraux simples ont en effet été retrouvés dans des dépôts marins qui remontent à l'origine des organismes pluricellulaires, il y a environ 600 millions d'années. Le carbonate de calcium déposé par les coraux a ensuite laissé des traces fossiles un peu partout dans le monde. Depuis des milliers d'années des prédateurs venus de la haute mer, comme le barracuda, **à gauche**, s'approchent des barrières pour tendre de rapides guets-apens à leurs habitants. Le comportement des poissons que l'on voit, **à droite**, est sans doute une réponse aux menaces de prédation. Des lits fossilifères contenant des centaines de poissons témoignent de l'ancienneté de tels comportements grégaires de la part des proies potentielles.

Pages 40-41
Requin-baleine

Les requins ne sont pas tous des prédateurs habiles et féroces. Certaines espèces, comme le requin-pèlerin, *ci-dessous*, ou le requin-baleine de la **page ci-contre, en haut**, sont devenus filtreurs, c'est-à-dire qu'ils se nourrissent de plancton. Les restes de Cladoselache, le premier des poissons cartilagineux, remontent au Dévonien (400 millions d'années) et de nombreux groupes de requins, dont certains d'eaux douces, lui ont succédé dans le temps. Mais les requins modernes ne sont apparus qu'il y a une soixantaine de millions d'années. Le plus célèbre des requins fossiles, le Carcharodon Megalodon, bien qu'il fût carnivore, rivalisait en taille avec les grands requins planctophages ; il atteignait en effet 12 mètres.

Une autre branche de la grande classe des Chondrichthyens est l'ordre des Rajiformes, les raies et les raies-mantes. Les poissons cartilagineux (requins et raies) ont évolué avec les poissons osseux, l'apparition de ces « cousins » plus évolués ne les a pas fait disparaître des océans.

Page ci-contre, important groupe de requins-marteaux en migration. Avec le temps, les requins se sont transformés et diversifiés en des centaines d'espèces qui occupent tous les milieux d'eau salée. En l'absence de structures adaptées, ils ne se sont jamais installés définitivement dans les eaux douces.

Derniers arrivés dans la grande famille des habitants de l'océan, les cétacés se sont tout de suite placés aux sommets des chaînes alimentaires de toutes les mers du monde. En cinquante millions d'années, des animaux qui ressemblaient aux ongulés ont subi une transformation très rapide, géologiquement parlant, qui les a fait devenir très semblables aux poissons. À partir de prédateurs comme le Protocetus, *qui mesurait environ 2,5 mètres de long,* ou le Zeuglodon, *qui en mesurait environ 15, on est arrivé à des représentants plus grands comme les mégaptères,* **à droite,** *ou les mantes-raies,* **à gauche,** *qui ont développé une méthode d'alimentation complexe, uniquement basée sur le plancton.*

Pages 48-49
Rascasse volante, mer Rouge.

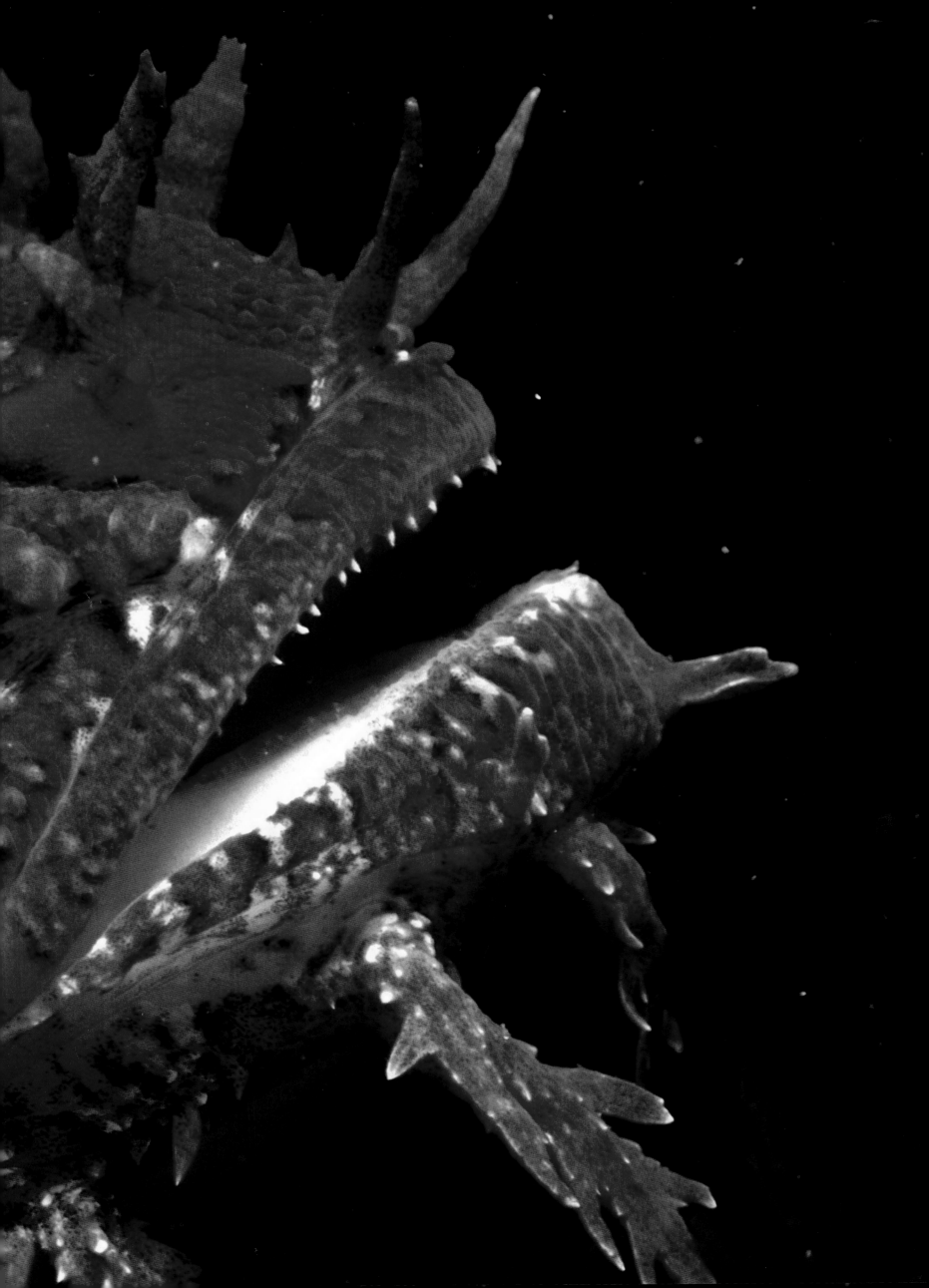

Des îles
au fil du courant

Les atolls solitaires ou les îles volcaniques ont permis à de nombreux animaux, en l'absence de prédateurs, de subir fort peu de modifications, par rapport à leurs ancêtres les plus primitifs ou de développer des adaptations extrêmement singulières. Il semblerait que les iguanes marins soient beaucoup plus anciens qu'on ne le croyait autrefois et qu'au moins vingt millions

d'années les séparent des iguanes terrestres. Chez ces véritables dinosaures miniatures, la crête et la tête renforcée de plaques sont utilisées lors des combats entre mâles.

*Pages 52-53
Iguanes*

LES MARAIS

Des cannaies interminables, des brouillards impénétrables, des arbres dépouillés aux allures de fantômes, des miasmes pestilentiels, des moustiques, la malaria : voilà l'image qu'évoquent en nous les marais. Les zones humides sont cependant des écosystèmes qui ne sont qu'en apparence marginaux. Elles ne couvrent que 6 % de la surface de la Terre, leur extension n'est jamais très grande et les espèces animales et végétales qui les peuplent sont moins spectaculaires que celles des autres milieux. Toutefois leur importance et leur charme ne sont en rien inférieurs à ceux des autres biomes terrestres. L'absence de points de référence et la nature hybride de ces milieux (ni eau ni terre) ne permettent guère une « interprétation » de la part de l'homme qui ne s'est certes jamais distingué comme un ami des marécages : pendant les années quatre-vingts, on a asséché 50 % des zones humides à travers le monde ! Une autre caractéristique fondamentale de ces zones est l'évolution rapide et continue à laquelle elles sont soumises. Les bassins se remplissent de déchets, de nouvelles espèces se substituent aux précédentes et la même zone prend chaque année un aspect différent, s'adaptant rapidement aux conditions climatiques. Pour cette raison et du fait des conditions très dures dans lesquelles elles vivent, toutes les espèces ont besoin d'adaptations parfois extrêmes et très intéressantes.

On entend par le terme général de zones humides un grand nombre d'habitats différents dont le dénominateur commun est la présence prépondérante d'eau basse et peu courante qui ne réussit souvent qu'à imprégner le sol. On peut ainsi y classer les lacs, les estuaires, les fleuves, les rivières et les marais. L'eau présente peut être douce, salée ou saumâtre, riche en oxygène ou stagnante. Dans ce dernier cas, les plantes doivent se procurer de l'oxygène d'une autre façon. D'autres conditions, en particulier les conditions climatiques et édaphiques (caractéristiques du sol), peuvent s'ajouter à la présence de l'eau. On peut alors distinguer les marécages riches en nourriture et les marécages pauvres, les immenses lacs intérieurs africains, temporaires, dont la surface est très variable, les deltas fluviaux qui se perdent dans le désert et qui sont de véritables refuges pour une faune et une flore très rares, les estuaires des zones tempérées ou du Nord, où des milliers d'individus migrent pour la reproduction, et même les petits plans d'eau d'Amérique du Nord, lieux de repos et de refuge des canards et des oies. Il y a aussi les célèbres mangroves, dont les plantes très spécialisées vivent littéralement les racines dans l'eau, sans se soucier ni pâtir de l'inconfortable présence des sels marins. Ce sont des écosystèmes qui se situent à la limite entre la terre et l'eau et qui possèdent des éléments de l'une et de l'autre. C'est d'ailleurs dans ce mélange d'espèces différentes que résident leur charme et leur importance.

Chaque latitude et chaque condition climatique peut donner naissance à des marécages, des étangs, des marais, des tourbières aux caractéristiques différentes. Les espèces qui les peuplent sont elles aussi différentes même si l'on peut souvent remarquer une convergence, une ressemblance dans l'aspect physique et quelquefois même dans la physiologie de plantes ou d'animaux appartenant à des continents parfois très éloignés les uns des autres.

Dans les zones arctiques les conditions ambiantes (eau froide pendant une période de l'année, sol toujours imprégné d'eau, gel à quelques centimètres de la surface, vents forts) empêchent le développement d'une végétation formée d'arbres. Les rares pans de forêts ne poussent que sur les petits îlots de terre ferme créés par le mouvement des eaux, et les fortes différences saisonnières entraînent des cycles d'abondance et de pauvreté. Tous les animaux qui passent l'été dans la toundra profitent de ces cycles alternés : les oiseaux en vol de millions d'individus et les ongulés dont les troupeaux pouvaient autrefois atteindre plusieurs milliers de têtes. Parmi les espèces qui ont le plus frappé l'imagination et qui nidifient dans les zones humides du nord, on trouve les cygnes et les grues : leurs parades nuptiales, leurs danses et leurs plumages blancs constituent quelques-uns des moments les plus féériques quand on visite la toundra. Dans les petits lacs qui bordent les forêts de conifères, on trouve aussi souvent des plongeons, dont l'étrange chant est le symbole même de la toundra du nord.

Aux latitudes inférieures, les eaux côtières sont souvent associées aux estuaires des fleuves qui se jettent paresseusement dans la mer en formant de vastes étendues peu profondes et remplies de vase. Les conditions écologiques varient énormément selon les saisons mais en été, quand les quelques centimètres d'eau sont réchauffés durant des heures par le soleil, les minuscules algues qui s'y trouvent — base de toute chaîne alimentaire — subissent de véritables explosions de population. Cette croissance frénétique entraîne à son tour une augmentation très rapide de toutes les autres espèces qui se nourrissent de ces algues ; le flux et le reflux de la marée assurent en outre un apport continu de nourriture qui fait des estuaires le lieu idéal pour l'approvisionnement en fourrage et pour la récupération des énergies perdues pendant les migrations.

Il en résulte que des milliers d'oiseaux, en particulier ceux que l'on appelle limicoles (des charadriiformes comme les pluviers, les maubèches ou les bécasseaux) synchronisent exactement leurs

*Les marécages préhistoriques, beaucoup plus vastes que maintenant, étaient l'un des milieux les plus étendus sur la surface de la Terre. C'est dans les méandres des lents fleuves qui se perdaient dans la mer que se fit la conquête de la terre ferme par des espèces de poissons qui ressemblaient de plus en plus à des amphibiens. Avec le temps, et en l'absence de prédateurs sur la terre ferme, on voit se perfectionner chez ces animaux des organes, comme les poumons et les pattes, de plus en plus adaptés à la vie aérienne ; les amphibiens n'ont cependant jamais quitté l'eau des marécages, lieu de leur reproduction. **En haut**, un petit triton ; à **droite** l'enchevêtrement des canaux de King Sound, vaste zone marécageuse de l'Australie occidentale.*

Attirées par l'abondance des proies, de nombreuses espèces d'oiseaux peuplèrent les zones humides du monde entier. Des milieux comme celui qui est représenté sur cette photo (le Lac Naivasha, au Kenya) ressemblent beaucoup aux vastes marécages d'il y a quelques millions d'années.

temps de migration pour se trouver au bon endroit au bon moment. Ils utilisent ces marais comme des aires de repos avant de se lancer dans la toundra, elle aussi recouverte d'un voile d'eau ; ils y séjournent au printemps et en été pour la reproduction ; ou bien pour reconstituer leurs réserves de graisse en vue du long voyage de migration vers le sud. C'est durant ces périodes que d'immenses vols d'oiseaux, comptant parfois des millions d'individus, envahissent le ciel et se jettent à l'unisson sur les étendues couvertes de vase, donnant à voir un spectacle inoubliable. Les canards européens et américains utilisent les zones humides tempérées et subtropicales pour hiverner ou séjourner durant la saison la moins clémente. Là aussi on ne peut manquer d'être frappé par la dimension des populations. Les milliers de petits corps blancs et noirs qui flottent sur les marais de la Méditerranée ou de l'Amérique Centrale, dans un milieu que l'on considère comme peu hospitalier, sont l'exemple le plus évident de l'importance de ces zones pour la faune.

Plus au sud, dans les zones tempérées, l'activité des hommes n'a laissé que peu d'endroits que l'on peut définir comme marais. Parmi eux, on trouve les estuaires des grands fleuves, comme la Camargue en France, le Coto Doñana en Espagne, le delta du Danube en Roumanie, les côtes de la mer du Nord et les vastes lacs peu profonds qui bordent la côte orientale des États-Unis. Un autre système de zones humides vastes et importantes est celui qui se trouve à l'intérieur des États-Unis et du Canada, lieu de repos et de reproduction pour des milliers de canards.

La présence de véritables forêts inondées, où les arbres surgissent directement de l'eau, se rencontre au contraire dans les zones tropicales, où la relative stabilité de la température et des conditions permet le développement de plusieurs espèces d'arbres adaptées au manque d'oxygène chronique des eaux stagnantes. Ce sont par exemple les cyprès-chauves des marécages nord américains, comme les Everglades de Floride, qui résolvent ce problème grâce à leurs racines aériennes ; ces dernières se dressent hors de l'eau pour capturer l'oxygène de l'atmosphère. Ces arbres sont souvent enveloppés de mousses à l'aspect spectral. Dans les deltas et le long des grands fleuves aussi (Mississipi, Amazone, Mékong, Congo, Irrawaddy) poussent, sur les terres exondées, des pans de forêt inondée, où disparaît complètement la limite entre les animaux et les plantes d'eau et de terre. Certaines espèces, comme les hérons ou les martins-pêcheurs des forêts indonésiennes, ont un cycle vital qui se déroule sur la terre ferme mais se nourrissent dans l'eau ; d'autres, comme les amphibiens, pondent dans l'eau et remontent sur la terre quand ils sont adultes.

Toute une série de lacs africains d'origine tectonique, c'est-à-dire issus des déplacements subis par la croûte terrestre, n'abritent pas moins d'une douzaine d'espèces de hérons et de cigognes, des dizaines de passériformes, au moins six espèces de canards et deux de flamands qui, dans le Naivasha, le Natron et le Nakuru, forment des vols de dizaines de milliers d'individus. Au fin fond des cannaies les plus impénétrables, vit le mystérieux baléniceps roi ou bec en sabot.

On ne peut oublier de rappeler, comme zones humides riches et menacées, les mangroves. Le long des côtes des mers tropicales les conditions climatiques relativement constantes permettent la croissance d'environ vingt espèces d'arbres appartenant à des genres variés (Rhizophora, Soneratia, Ceriops, Avicennia, etc.) qui prennent collectivement le nom de mangroves. Ces arbres réussissent à survivre en dépit des marées et de la salinité élevée. L'enchevêtrement de leurs racines emprisonnent les sédiments transportés par les marées et les fait s'étendre vers la mer. Le milieu très changeant impose des adaptations extrêmement poussées pour supporter les variations de température et de salinité.

Un milieu aussi variable et imprévisible exige un système d'adaptation très particulier pour la survie. La sélection naturelle a ainsi favorisé, à toutes les époques de l'histoire de la Terre, les plantes et les animaux qui étaient capables de vivre aussi bien dans l'eau que sur la terre. Dans les eaux basses subtropicales, dans les marais et dans les lacs temporaires du Dévonien (il y a 410 à 360 millions d'années) les continuelles hausses et baisses du niveau de l'eau « obligèrent » certains poissons à se doter d'organes équivalents à nos poumons. C'est ensuite au cours du Dévonien Supérieur (ou peut-être même avant, si l'on arrive à démontrer l'exactitude de certaines hypothèses très récentes) que les marécages peu profonds, bordés des fougères arborescentes, virent sortir de l'eau les premiers véritables vertébrés terrestres, les amphibiens. De nombreux fossiles appartiennent au genre *Ichthyostega*, dont les formes sont intermédiaires entre les poissons et les amphibiens. Le passage des amphibiens aux reptiles se fit lui aussi dans un milieu palustre : l'innovation de l'évolution d'un œuf indépendant de l'eau s'est faite dans les marécages peu profonds du Permien inférieur où les premiers gros reptiles prédateurs (les pélycosaures et leurs cousins) remplacèrent les amphibiens comme principaux carnivores terrestres.

Un bond de plusieurs millions d'années nous permet d'observer la vie dans les marais du Mésozoïque. Durant cette ère, le supercontinent Pangée se fragmenta et des mers peu profondes séparèrent les futurs continents : c'est là que prospérèrent ceux que l'on peut sans aucun doute définir comme les

habitants les plus importants des marécages préhistoriques : les dinosaures. Bien entendu, parmi les quelques neuf cents espèces que comptaient les deux ordres de dinosaures (saurischiens et ornithischiens), seules quelques-unes habitaient dans les zones humides, les marécages, les estuaires ou les mers basses intérieures ; mais même pendant le Mésozoïque la productivité écologique des marécages était très élevée et de nombreux herbivores y étaient attirés par l'abondance de nourriture. Les carnivores, eux, venaient y rechercher des proies. Si on ajoute à cela le climat chaud et les mers peu profondes, véritables marécages d'eau salée ou saumâtre, on comprend pourquoi durant le Jurassique et le Crétacé l'évolution et le développement de certaines familles de « reptiles terribles » ont été étroitement liés aux zones humides. La théorie selon laquelle de nombreux dinosaures de très grandes dimensions devaient absolument vivre dans l'eau pour soutenir leur énorme poids est désormais abandonnée. Cependant de nombreux fossiles de dinosaures témoignent d'adaptations propres à des animaux de marécages. Les camarasaures, par exemple, avaient des narines sur la partie supérieure de la tête, de façon à pouvoir respirer avec la tête immergée dans l'eau ; les hadrosaures (ceux que l'on appelle les « dinosaures à bec de canard ») se nourrissaient probablement de tendres herbes palustres ; des empreintes dans la boue du rivage des lacs suggéraient l'endroit où un théropode prédateur s'était tapi pour attendre sa proie. À la même époque, mais sans qu'ils fussent apparentés aux dinosaures, voltigeaient dans le ciel les Ptérosaures, aux becs et aux queues immenses, à la recherche de petites proies ou de minuscules crustacés qu'ils filtraient à travers leur bec. D'énormes crocodiles, menaçants et extraordinairement semblables à leurs contemporains d'aujourd'hui, tendaient des pièges aux animaux venus se désaltérer.

Selon les écologistes, il reste encore beaucoup à faire pour préciser complètement les dynamiques de transformation et de succession écologique des zones humides du monde. Sans vouloir faire de la science-fiction, on peut dire que les marécages renferment encore, plus que tout autre milieu, de nombreux mystères. C'est d'ailleurs dans les forêts inondées et impénétrables et dans les bras morts du bassin du Congo que les experts de cryptozoologie recherchent les ancêtres des plus grands habitants des marécages, ces dinosaures qui ne cessent de fasciner. Et qui sait si dans quelque bras inexploré, au milieu des brouillards et des moustiques, il n'existe pas encore quelque fossile vivant qui pourrait venir éclaircir d'autres mystères de l'évolution.

Lents, maladroits
et dangereux

Dans les eaux troubles des marécages du monde entier évoluent des espèces uniques et particulières. Les lamatins, **en haut, à gauche et à droite**, sont les seuls mammifères aquatiques à se nourrir d'herbe. Aussi étrange que cela paraisse, leur origine remonte peut-être à des animaux qui n'étaient pas plus gros qu'un chien, très semblables aux damans actuels. À l'origine herbivores terrestres, les hippopotames, **en bas à gauche**, sont devenus de plus en plus dépendants de l'eau et n'ont plus, désormais, de rivaux dans leur milieu. Depuis des millions d'années, les crocodiles, **en bas à droite**, ont adopté une technique de prédation basée sur l'affût ; c'est aussi ce qui leur a permis d'échapper à la grande extinction de la fin du Crétacé.

Même s'ils n'atteignent pas les 15 mètres de long de leurs ancêtres du Triassique, les crocodiles figurent parmi les plus grands reptiles. Pourvus de dents extrêmement efficaces, ils ont remplacé les proies du Mésozoïque par les mammifères qui dominent actuellement la Terre. À cause de leur morphologie et de leur biologie, qui n'ont presque pas changé, les crocodiles ont souvent servi de modèles pour l'étude de la vie des dinosaures. Certaines théories modernes sur la température constante des dinosaures se basent justement sur la structure et le comportement des crocodiles.

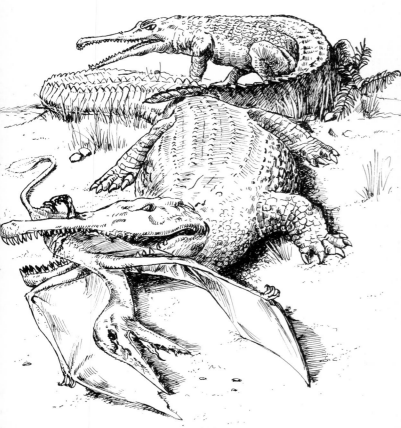

Un roi en cuirasse

*Refuge d'animaux très
particuliers, les marais qui
s'étendent au pied de la
chaîne de l'Himalaya sont le
royaume incontesté du
rhinocéros indien. Derniers
descendants d'une race
autrefois beaucoup plus
nombreuse, les rhinocéros
cachent sous leur cuirasse
des affinités avec le cheval.
Répandus jadis sur toute la
planète, ils ont constitué un
groupe à succès, avec des*

représentants jusque dans les zones tempérées. Leurs cornes atteignaient alors des dimensions considérables et leur corps devenait de plus en plus massif pour se protéger du froid. Le développement d'une peau épaisse et des habitudes de vie retirée les ont protégés des ennemis mais en même temps les ont empêchés d'évoluer ultérieurement. Les rhinocéros, qui semblent s'être arrêtés dans le temps, vivent souvent dans des zones humides et marécageuses dans lesquels ils se baignent pour se débarrasser des parasites qui se nichent dans les replis de leur peau. Chez le rhinocéros indien, les combats entre mâles se font à coups de canines, plutôt qu'avec la corne unique.

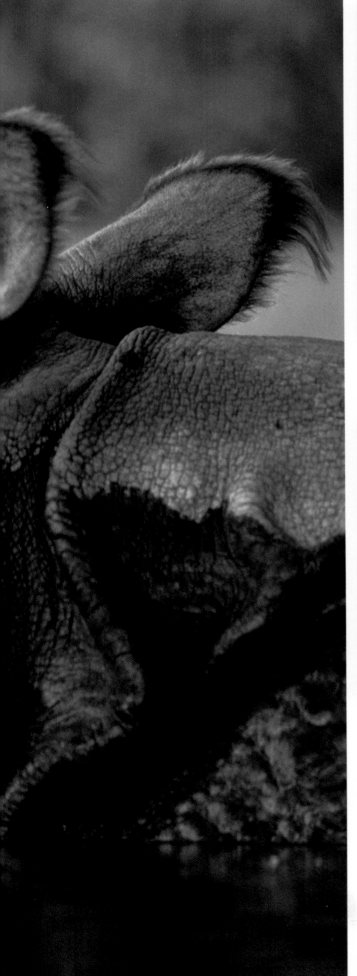

Pages 70-71
Tortues géantes des
Galapagos

Pages 72-73
Fourmilier géant du
Venezuela

LES PRAIRIES

S elon l'hypothèse du sociobiologiste Edward Wilson, l'espèce humaine, dans son expansion à travers le monde, aurait conservé avec elle le souvenir du milieu ancestral où tout avait commencé. Cet habitat originel ressemblerait énormément aux prairies d'aujourd'hui ; c'est d'ailleurs peut-être à partir des savanes africaines, ces vastes étendues herbeuses parsemées de rares acacias en forme de parapluie, qu'a commencé l'aventure des premiers Hominidés. L'invention de l'agriculture a ensuite entraîné la transformation de nombreux milieux en prairies artificielles, un milieu monotone, pauvre en espèces et riche en pesticides. À la différence des étendues cultivées en céréales pour l'alimentation humaine, les prairies sont des écosystèmes variés et biologiquement diversifiés, qui possèdent des animaux et des plantes caractéristiques. Le facteur qui conditionne la vie dans les prairies et empêche le développement de véritables forêts, est la pluie. On peut dire que les prairies, du moins les prairies tropicales, et leurs caractéristiques climatiques sont intermédiaires entre les deux grands écosystèmes que constituent les forêts et les déserts. Au fur et à mesure que les recherches avancent il apparaît de plus en plus évident que leur écologie, apparemment élémentaire et identique dans le monde entier, est au contraire très complexe. L'interaction et la compétition entre les herbes et les arbres, les différentes extensions des appareils radiculaires, les énormes troupeaux d'herbivores qui vivent dans les prairies, le recyclage complexe de la nourriture et de la biomasse, l'impact des activités humaines, enfin, ont créé une mosaïque de milieux qui restent encore à découvrir. Un type de formation végétale qu'on assimile souvent à la prairie, mais qui n'est pas parfaitement identique, est la savane. Dans les savanes, caractéristiques des régions tropicales, on voit pousser, à côté des herbes qui dominent le paysage, des petits arbres et des arbustes plus ou moins abondants. Les savanes couvrent environ 20 % de la superficie de la terre ferme ; on les trouve tant dans les zones montagneuses que dans les zones de plaines, sur une grande variété de sols. Avec une telle diversité d'habitats, il n'est pas étonnant que les dynamiques des écosystèmes des prairies n'aient pas encore été toutes éclaircies. Les savanes africaines sont sans cesse en équilibre précaire : elles risquent de se transformer en déserts les années où il ne pleut pas, ou de redevenir d'épaisses forêts si les pluies sont abondantes.

La forme végétale qui y domine est l'herbe : on compte des dizaines d'espèces, pour la plupart des Graminées, qui grâce à des adaptations extraordinaires réussissent à surmonter les périodes critiques et à germer dès que l'humidité est suffisante. Chaque prairie ne contient que quelques espèces d'her-

bes principales, dont la hauteur varie de un à trois mètres, comme pour les hautes herbes à éléphant (*Pennisetum purpureum*). Quelquefois les graines ou les rhizomes des graminées des prairies peuvent attendre, en état de quiescence, plusieurs dizaines d'années. Ou bien ils réussissent à traverser indemnes les fréquents incendies, souvent provoqués par l'homme, qui constituent l'un des plus importants facteurs de remodelage des écosystèmes herbeux. Durant la saison sèche les racinés des herbes font preuve d'une efficacité qui dépasse celle des arbres, dans leur lutte souterraine pour atteindre l'eau. La saison de la floraison est elle aussi brève et éphémère et après une pluie torrentielle une étendue d'herbes sèches se transforme, pendant quelques jours, en un beau pré fleuri. Les arbres qui parsèment les savanes sont en compétition avec les herbes ; ils possèdent donc des racines très profondes et des feuillages souvent larges et plats, destinés à protéger les racines des rayons du soleil. Arbres et broussailles produisent une énorme quantité de graines ; l'Acacia karoo d'Afrique du Sud peut produire jusqu'à 20 000 graines dont 90 % sont fertiles.

Le plus vaste système de prairies tempérées, dit du Paléoarctique, comprend l'Europe, l'Asie centrale et l'Asie septentrionale. Près de 32 000 km² de la Hongrie jusqu'à la Chine, en passant par la Russie méridionale. Cette immense étendue porte plus justement le nom de steppe, un mot d'origine russe qui signifie « prairie dépourvue d'arbres ». Il est difficile aujourd'hui d'imaginer quelle pouvait être la richesse de la vie animale dans ces vastes milieux. La monotonie du paysage cache un fait important : la très grande efficacité de la photosynthèse. La plus grande partie de la lumière solaire est en effet transformée en matière herbeuse qui à son tour nourrit, ou nourrissait, une quantité pratiquement inimaginable d'herbivores brouteurs. Sur tous les écosystèmes de l'Eurasie, l'action de l'homme a été extrêmement lourde et des énormes troupeaux d'ongulés qui erraient par les steppes (saïgas, bisons, chevaux sauvages) il ne reste que quelques images dans les peintures rupestres. Avec les gros herbivores ont également disparu leurs prédateurs, comme les loups ou les aigles. Seuls sont restés les petits herbivores, avec de nombreuses espèces de rongeurs aux habitudes souterraines, et évidemment leurs prédateurs. Marmottes, hamsters et autres petits herbivores doivent continuellement se protéger des putois ou des nombreux serpents qui pénètrent dans leurs tanières.

Les grandes prairies d'Amérique du Nord n'étaient pas très différentes. Avant qu'elle soit massacrée, la population de bisons des plaines américaines du centre (qui à leur tour ont très probablement été créées par les premiers hommes ayant pénétré sur le continent américain il y a envi-

*L'extension des déserts sur notre planète a subi des variations importantes. Quand tous les continents ne formaient qu'un seul bloc, la Pangée, l'intérieur des terres, très éloigné de la mer, ne recevait presque pas d'humidité. C'est ainsi que se créa le premier et peut-être le plus grand désert de la Terre. Lorsque le premier supercontinent se fragmenta, la surface de ce désert diminua, se dispersant un peu partout sur le globe. Successivement, en fonction de l'augmentation ou de la diminution de la température ou selon les glaciations de notre ère, les déserts diminuèrent ou augmentèrent. Mais à chaque époque seules des espèces très particulières réussirent à survivre dans le plus terrible des habitats terrestres. **En haut**, le désert du Namib ; **à droite**, une zone aride du Queensland, en Australie.*

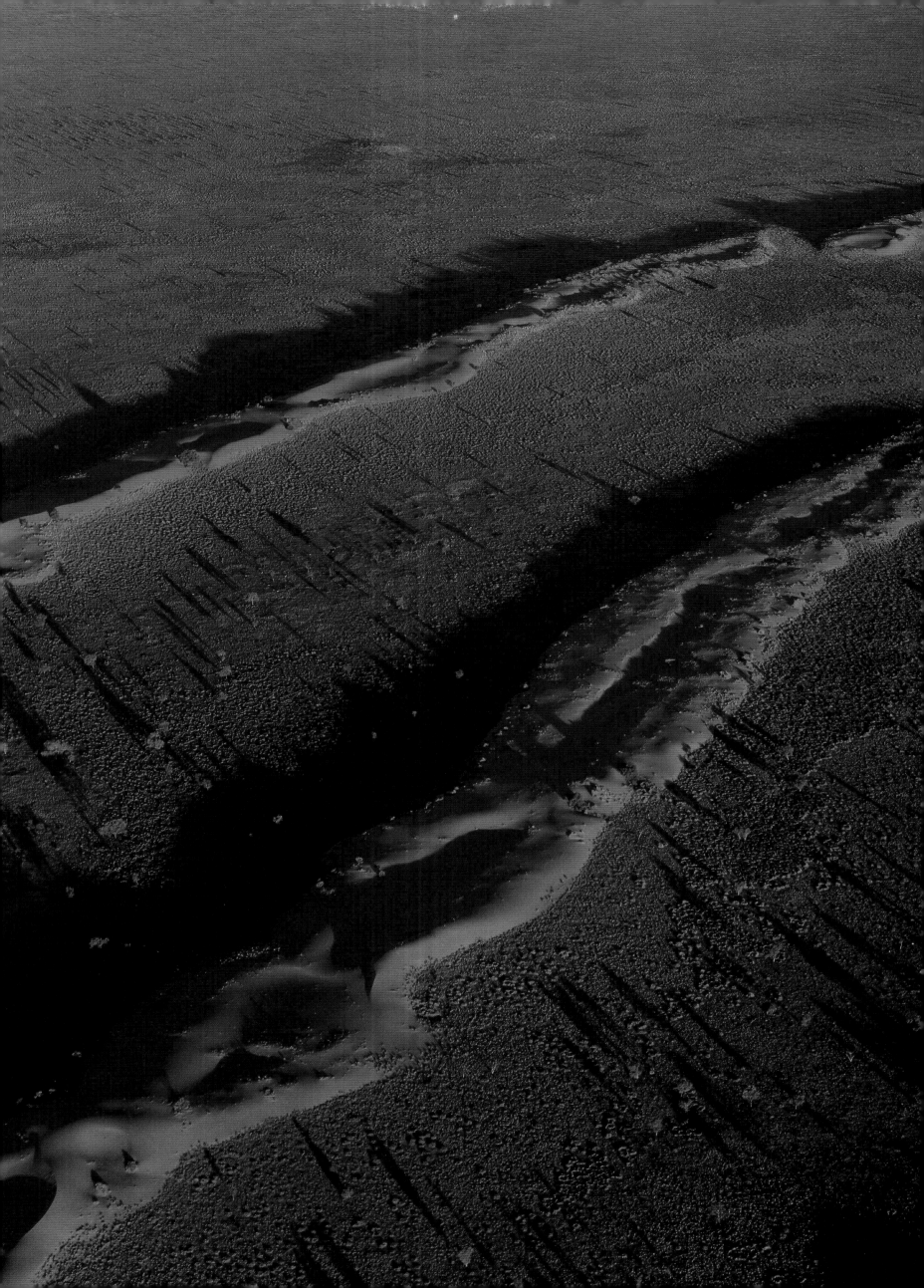

ron 12 000 ans) comptait de 50 à 60 millions d'animaux. À côté des bisons, on trouvait un grand nombre d'antilocapridés et de chiens de prairie. Il ne faut pas oublier non plus les vols de millions de sauterelles et d'autres insectes herbivores qui constituent la nourriture de nombreuses espèces d'oiseaux. Tous ces animaux, dans une interaction continuelle avec le milieu, contribuaient à préserver la structure des prairies : en broutant continuellement les herbes, les bisons et les antilocapridés les maintenaient basses ; quant aux rares bourgeons des arbres qui réussissaient à survivre au climat, ils étaient mangés par les herbivores. Désormais, on ne retrouve le charme des grandes plaines que dans quelques parcs nationaux du nord de l'Amérique ou d'Asie. Le seul prédateur qui ait résisté à l'action de l'homme est le coyote, un canidé opportuniste et peu exigeant en matière de proie. Son frère plus noble, le loup, a dû se retirer dans les forêts du Canada, même si l'on assiste actuellement à son retour timide aux États-Unis.

Dans l'hémisphère Sud aussi il existe des systèmes de prairies tempérées, moins connues cependant. Dans le sud du Brésil, en Uruguay et en Argentine, les pampas (500 000 km²) ont été pratiquement « créées » par les incendies qu'y allumèrent les premiers habitants venus du nord. Leurs conditions d'aridité extrême, la température élevée et un vent presque permanent font que bien peu d'animaux réussissent à y vivre toute l'année. Beaucoup d'oiseaux migrent et plusieurs mammifères passent la plupart de leur temps sous terre. Des prédateurs rusés, comme le magnifique loup à crinière et le renard des pampas, y donnent la chasse aux rongeurs omniprésents.

Les savanes africaines, moins étendues que les steppes eurasiatiques, sont beaucoup plus célèbres. Peut-être parce qu'elles nous rappellent notre passé de « singes descendus des arbres », les savanes de l'Afrique orientale continuent de nous émerveiller. Ce sont les seuls endroits sur la Terre où il est encore possible de voir de grandes concentrations d'herbivores avec leurs prédateurs et d'en étudier à fond les interactions et les dynamiques écologiques. Selon une théorie moderne les grands ongulés africains, à la différence des ongulés américains ou européens, ont réussi à survivre parce que leur cohabitation dans la savane avec le prédateur le plus efficace, l'homme, a été beaucoup plus longue et que l'adaptation réciproque a donc été beaucoup plus facile. Les saisons bien distinctes imposent aux ongulés des cycles vitaux extrêmement précis et une recherche constante de nourriture et d'eau. Les gnous, les zèbres, les antilopes, les éléphants et leurs prédateurs comme les lions, les léopards, les guépards ou les hyènes sont l'image la plus classique de la vie dans la savane. Les très vastes études éco-

logiques menées pendant plus d'un siècle par des chercheurs du monde entier sur les savanes africaines en ont fait le milieu sur lequel on est le mieux renseigné. Les interrelations entre les populations animales, les espèces herbeuses et la présence de prédateurs, l'action du feu et des saisons tantôt sèches tantôt humides dans la vie de la savane forment une fresque complexe et extrêmement intéressante où chaque espèce semble occuper un espace bien à elle. C'est dans les savanes que les mammifères ont atteint les dimensions les plus grandes et l'organisation sociale la plus complexe. Les troupeaux de babouins, d'éléphants ou de lions sont un exemple d'études à long terme qui ont révélé un comportement social raffiné. Comme dans les prairies tempérées, la très grande capacité de photosynthèse des herbes permet la vie d'un grand nombre d'herbivores même de grande taille. Pour survivre, ces herbivores ont dû choisir entre deux alternatives : les grandes dimensions ou la vitesse. La première solution a été « choisie », dans les savanes africaines, par les éléphants et les rhinocéros ; aucun prédateur ne se permet d'attaquer une mère rhinocéros ou un troupeau d'éléphants pour tuer ses petits. Et peu réussissent à rattraper une gazelle lancée en pleine course. Mais on voit alors entrer en jeu les stratégies de chasse des lionnes ou des troupeaux de lycaons ou bien l'extrême rapidité du guépard. Chaque fois que les herbivores font un pas dans l'évolution (en augmentant leur taille ou l'efficacité de leurs muscles ou leur système de surveillance), les prédateurs répondent par une contre-attaque. C'est une véritable course aux armements que l'on peut observer dans ce grand écosystème. Même les troupeaux de gnous ou de zèbres, les animaux les plus répandus dans la savane, sont un moyen pour échapper aux prédateurs et réussir à atteindre le plus vite possible les sources de nourriture : plus il y a d'individus et plus il y a de chances d'apercevoir les prédateurs ou d'entendre le lointain tonnerre annonciateur de pluie et d'herbe fraîche.

Dans certaines zones, dont la plus célèbre est l'écosystème du Serengeti, l'herbe manque souvent car elle suit le rythme des pluies ; les herbivores doivent donc se déplacer pour se nourrir. Zèbres, gnous et gazelles se regroupent alors en grands troupeaux et entreprennent d'immenses migrations, l'un des derniers grands spectacles spectaculaires de la nature qu'il nous est donné de voir. Tout autour des gigantesques troupeaux les prédateurs se pressent, à l'affût des bêtes les plus faibles ou sans défense ; mais la plupart des animaux atteignent leur but. Le grand nombre d'habitats des savanes africaines a permis une différenciation très poussée des espèces d'herbivores, une véritable explosion en matière d'évolution, qui a entraîné des habitudes

La grande taille des herbivores qui peuplent les plaines et les savanes a entraîné celle des carnivores qui les chassent. Mais malgré sa puissance, le lion doit faire appel à d'autres membres du groupe pour capturer et partager, une fois qu'elle est abattue, la proie. Toutes les prairies ont toujours eu de grands prédateurs et de grands herbivores. Dans l'important gisement de fossiles de Rancho La Brea, en Californie, on a trouvé d'innombrables restes d'éléphants et de chevaux mêlés à ceux de leurs prédateurs, comme le célèbre tigre aux dents en lame de sabre. Tous restèrent enlisés dans les puits de bitume qui existaient alors dans cette zone. Déjà, il y a très longtemps, existaient des troupeaux de prédateurs ; on pense en effet qu'un dinosaure prédateur comme Deinonychus chassait en groupe exactement comme les lions.

et des préférences alimentaires particulières. Si les gnous et les gazelles sont les espèces les plus voyantes, il ne faut pas oublier les impalas, qui se nourrissent des herbes laissées par les zèbres, ou les merveilleux kudus qui arrivent à vivre même dans les zones très peuplées par les hommes. On peut aussi observer une spécialisation alimentaire très poussée chez la girafe, capable d'arriver plus haut que n'importe quel autre animal, ou chez les minuscules diks-diks, qui vivent sur les collines rocheuses qui parsèment la plaine ; ces derniers se nourrissent uniquement des bourgeons d'arbustes épineux qui forment d'épais fourrés.

Quand une savane se modifie, que ce soit à cause de l'intervention de l'homme ou de changements climatiques qui sont toujours possibles à long-terme, cela peut donner un milieu si radicalement différent qu'on peut douter de son origine. Si en effet les précipitations descendent en dessous d'une certaine limite, ou si l'homme soumet le milieu à un déboisement ou à un pâturage excessif, les herbes perdent peu à peu le contrôle du terrain. Par un effet de spirale de plus en plus serrée qui entraîne la diminution des herbes, et donc une fertilité moins grande du sol et une repousse moindre, le terrain perd sa couverture végétale. Cela provoque dans un premier temps la création de zones semi-arides, où abondent les arbustes épineux, aux feuilles minuscules. La perte d'eau y est réduite au minimum justement à cause de la structure des feuilles, qui sont recouvertes d'une cuticule cireuse freinant la transpiration. Les parties fondamentales des plantes sont les racines qui s'étirent souvent sur des mètres et des mètres dans le sous-sol. L'impossibilité de vivre côte à côte donne lieu à une concurrence acharnée pour capter l'eau et très souvent les arbustes les plus gros sont entourés de zones de terrain presque nu ; à cause de certains composés chimiques toxiques les autres plantes et même les « rejetons » de l'arbuste lui-même n'arrivent pas à bourgeonner. L'étape suivante, si l'homme laisse sur ces terres ses troupeaux de chèvres, est le désert qui s'installe parfois en quelques années. Bien entendu il existe aussi des déserts que l'on peut dire naturels, l'homme n'étant pas intervenu dans leur création. Il s'agit de zones qui sont situées à l'intérieur des continents, là où les nuages chargés de pluie n'arrivent que difficilement, ou bien qui se trouvent à l'ombre de montagnes très élevées qui arrêtent carrément les nuages. Il ne faut pas croire, comme beaucoup ont tendance à le faire, que tous les déserts sont des endroits brûlants, recouverts d'un sable instable et aride. Le désert de Gobi par exemple, au centre de l'Asie, est un désert froid typique, où la température est loin d'atteindre les maxima que l'on trouve au centre du Sahara. Par contre, une caractéristique fondamentale de tous

Déjà au moment de leur apparition, il y a 55 à 60 millions d'années, les chauves-souris que l'on voit ici sortir en masse des grottes où elles habitent pour aller capturer des millions d'insectes, se nourrissaient d'insectes et avaient parfaitement développé leur radar naturel.

les déserts est l'immense amplitude thermique entre le jour et la nuit. Même dans le plus chaud des déserts, le désert d'Atacama au Chili, les nuits sont glacées. La chaleur du jour, en effet, n'est pas retenue par la végétation et le terrain découvert cède aussitôt à l'atmosphère l'énergie qu'il a accumulée pendant le jour. La conséquence de ce phénomène est que toutes les adaptations des animaux ont pour but de leur faire conserver une température convenant tant pour le jour que pour la nuit. Le jour, ils ne doivent pas gaspiller trop d'eau en suant car si cela fait baisser leur température, cela entraîne en même temps une diminution des réserves de ce précieux liquide. La nuit, ils ne peuvent pas se permettre de rester trop longtemps à découvert parce que sinon ils deviennent une proie facile pour les nombreux carnivores qui fréquentent le désert. Comme cela arrive toujours dans le monde animal, les espèces doivent arriver à un compromis entre les meilleures solutions pour trouver de la nourriture et de l'eau et en même temps éviter les prédateurs. Les conditions sont tellement sévères que bon nombre d'animaux ont développé des adaptations semblables pour assurer leur survie ; depuis la physiologie, qui leur permet d'extraire de l'eau de graines très pauvres (ou de leurs proies), jusqu'à l'anatomie, ce qui rend difficile la distinction entre le renard du désert nord-américain et le fennec, qui appartiennent pourtant à deux genres différents. On observe un mode de locomotion identique, en S sur les dunes, chez le serpent à sonnettes de l'Amérique du Nord et le crotale cornu de l'Afrique du Nord. Les plantes ne sont pas en reste et s'en remettent à la rosée du matin pour trouver un peu d'eau. Leur métabolisme très élevé ne permet pas aux oiseaux de coloniser le véritable désert même si le ganga a réussi à s'adapter d'une façon extraordinaire, qui lui permet de donner à boire à ses petits même si la source d'eau se trouve à une centaine de kilomètres de distance. Les plumes du ventre du mâle ont une structure qui rappelle celle de l'éponge et peuvent absorber une énorme quantité d'eau. Même après un long vol, l'eau qui est restée dans les plumes suffit à désaltérer les petits. Plusieurs oiseaux de proie, dont le faucon lanier, qui ressemble beaucoup au faucon pèlerin, survivent dans le désert parce qu'ils se nourrissent de proies vivantes, très riches en eau. Mais le désert reste le royaume des reptiles. Leur épaisse cuticule recouverte d'écailles empêche la perte d'eau et leur capacité à demeurer inertes durant les périodes de chaleur excessive (ou de froid) font qu'ils réussissent à coloniser jusqu'aux zones les plus arides, se nourrissant d'insectes, de graines ou les uns des autres. L'expansion des déserts, que dénonce le terme même de « désertification », ne peut être accueillie avec joie. L'habitat qu'elle entraîne est

encore plus pauvre que le désert lui-même, une sorte d'écosystème artificiel créé par l'action de l'homme et tout à fait déséquilibré ; souvent là où pourrait s'installer une savane pauvre mais fascinante, on voit se créer un désert qu'on pourrait définir comme anthropique. Quelquefois, cependant, les conditions climatiques peuvent changer dans l'autre sens. L'eau revient et les herbes peu à peu se remettent à coloniser les zones désertiques. On voit alors se recréer la savane, dont le pourtour de tous les déserts du monde est un exemple typique. Une savane sèche bien sûr, pauvre et aride, mais où le territoire a échappé à l'étreinte mortelle des nuits glacées et des jours torrides.

Une fois que la savane s'est reconstituée, la succession normale peut recommencer. Mais cet écosystème n'est pas constant ; les changements, cette fois à l'intérieur d'une dynamique « de savane », sont l'œuvre tant de facteurs externes, comme le climat et les précipitations, que de facteurs internes comme les animaux eux-mêmes.

L'un des plus importants agents écologiques de la savane est l'éléphant qui, en troupeau très nombreux, errait pratiquement dans toute l'Afrique située au sud du Sahara. La recherche constante d'eau et d'herbe de la part de ce grand herbivore a façonné et modifié pendant des siècles la savane, permettant souvent sa survie. En effet seuls les arbres les plus robustes ou les plus indigestes peuvent résister à l'éléphant qui crée pour lui, et pour les autres animaux, un milieu de broussailles peu épaisses, où abonde l'herbe. Un autre agent beaucoup moins apparent que l'éléphant, mais selon certains beaucoup plus important, est constitué par les termites. Ces petits insectes construisent des nids parfois imposants, parfois peu voyants et souterrains. Leur mouvement perpétuel et les déplacements d'énormes quantités de matériaux, qui se font dans de petits boyaux à l'abri de la lumière, contribuent de manière importante à la fertilisation du sol, à l'aération des premières couches de terre et à la diffusion (ou à l'arrêt) des herbes et des plantes de haut fût. Le paysage ponctué de nids de termites n'est tranquille qu'en apparence. Le « travail », que les vers de terre effectuent sous les climats tempérés, est ici réalisé avec beaucoup plus d'efficacité et de complexité par les termites.

Une telle richesse d'animaux ne pouvait manquer d'attirer un nombre égal de prédateurs, qui utilisent des stratégies de chasse toujours différentes pour profiter de cette ressource d'énergie. Les lions se rassemblent en groupes qui semblent se mettre d'accord sur la tactique d'assaut. Les lycaons poursuivent leur proie jusqu'à l'épuisement, tout comme les hyènes. Les grands vautours, dont il existe huit espèces en Afrique, et les autres nécrophores ramassent les miettes de ce gigantesque festin.

Un milieu assez semblable aux savanes africaines, mais plus aride, se retrouve en Inde. Il a été créé par les activités de l'homme, élevage et agriculture, qui ont détruit la forêt préexistante. Pour cette raison, les espèces qui l'habitent sont peu nombreuses et très pourchassées. Parmi les animaux les plus intéressants rappelons le cervicapre et le nilgault ; les prédateurs, comme les lions, les guépards ou les loups, ont eux presque entièrement disparu.

Ce qui frappe dans les savanes australiennes qui entourent comme une bande le grand désert central et confinent avec les zones plus humides de la côte, c'est l'étrangeté des animaux et en même temps leur ressemblance écologique avec nos herbivores les plus classiques. Ce ne sont ni les antilopes ni les chevreuils mais les kangourous qui jouent le rôle de brouteurs d'herbe. Quant aux prédateurs ils sont, ou du moins ils étaient, si proches de nos loups que l'un d'eux a mérité le nom de loup marsupial (*Thylacine*). Là comme en Inde, les modifications apportées par l'homme ont été si radicales qu'elles ont pratiquement ôté toute possibilité de retrouver dans la savane quelque chose de la grandeur et de la complexité des origines.

Les savanes et les prairies ne sont pas seulement un monde complexe et en perpétuel changement. Leur histoire aussi a été très importante pour l'évolution. Les savanes, et en particulier celles de l'Afrique, ont été pour les mammifères (et pour le plus évolué d'entre eux, l'homme) une sorte de berceau et de nursery. On peut dire que si les forêts et les marais ont été le royaume des reptiles, les savanes et les prairies sont celui des mammifères. Pendant le Miocène, les gros herbivores sortirent des forêts pour profiter des nouvelles occasions nutritives qu'offraient les prairies. C'est là que se sont développées les formes de plus grande taille et écologiquement dominantes : les éléphants actuels mais aussi tous les éléphants et mammouths disparus, les gigantesques brontoptères, aux excroissances étranges et énormes, et le plus formidable mammifère terrestre, l'*Indricotherium*.

Enfin n'oublions pas que le « choix » fait par les premiers australopithèques, d'abandonner la forêt protectrice pour aller chercher fortune dans les plus grandes étendues d'herbe, a été décisif pour l'avenir de la Terre.

Quelques rares proies
parmi les rochers

La nécessité de trouver de quoi se nourrir dans un milieu aride et peu productif transforme les sauriens en chasseurs efficaces et rapides. Souvent, ces mêmes zones arides étaient recouvertes au Mésozoïque d'une abondante végétation qui leur permettait de nourrir des populations beaucoup plus nombreuses.

Aujourd'hui, dans tous les déserts du monde, de petits lézards inoffensifs fuient la chaleur au milieu de rochers érodés par des rivières qui ont découvert les ossements d'autres reptiles, bien plus grands et bien plus dangereux. Les gisements fossiles les plus importants et les plus étendus se trouvent en effet dans les zones désertiques, comme le désert de Gobi ou les déserts de l'Amérique du Nord, où la végétation ne peut pas recouvrir les restes qui affleurent. **Page ci-contre**, on voit nettement les profonds canyons creusés au fil des siècles par la Colorado River, dans l'Utah.

Leurs écailles très dures et leurs piquants hérissés font ressembler ces petits sauriens à des guerriers du Moyen Âge. Mais c'est uniquement pour se défendre que le lézard ou crapaud cornu (phrynosoma), **à gauche**, et le saurien, **à droite**, ont développé ces véritables armures. De nombreuses espèces typiques du désert ressemblent, en plus petit, à des reptiles qui ont vécu il y a des millions d'années ; ces derniers cependant se servaient aussi de leurs énormes collerettes osseuses ou des épines qu'ils portaient sur le corps ou sur la queue lors des combats entre mâles pour la division du territoire. C'est peut-être le souvenir ancestral de l'époque où les reptiles régnaient en maîtres sur la Terre qui fait que si peu de prédateurs osent attaquer les lézards du désert, plus impressionnants que dangereux.

Dans la savane africaine, les éléphants constituent un important facteur de changement. La race des éléphants était diffusée sur toute la Terre avec des dizaines de formes et de tailles ; selon certains auteurs, le nombre des espèces de proboscidiens, vivantes et disparues, s'élèverait à 352. Certaines espèces avaient des défenses tournées vers le bas, d'autres possédaient de véritables plates-formes osseuses qui saillaient de leur bouche. Les changements climatiques, la concurrence d'herbivores plus efficaces et la persécution des hommes ont réduit cet ordre à deux espèces et les éléphants africains à quelques milliers d'exemplaires.

Tout comme la trompe, les défenses se sont révélées un instrument extrêmement pratique pour se procurer de la nourriture et pour se défendre des prédateurs. À cause d'elles, de la taille gigantesque de leurs propriétaires et de leur vie

sociale complexe, peu de carnivores osent s'approcher des troupeaux d'éléphants pour capturer un petit. Jadis, à l'époque du Miocène, en Amérique du Nord, les gigantesques tigres aux dents en lames de sabre osaient s'attaquer aux éléphants mais uniquement quand ces derniers étaient en difficulté, enlisés dans le bitume ou mourants.

Pages 92-93
Des gnous en migration

Sans cesse
à l'affût

Hyènes et vautours partagent la même renommée d'éboueurs et de mangeurs de charognes. Mais les hyènes sont aussi d'habiles prédateurs, qui capturent souvent des animaux vivants. Descendantes, comme tous les carnivores modernes, des premiers miacidés, elles remplacèrent d'autres carnivores moins développés et possédant une vie sociale moins complexe, les oxhyénidés et les hyénodontidés. Pratiquant la chasse en groupe à deux ou trois, ces animaux prédateurs sont devenus beaucoup plus efficaces. Au moment du repas tous les prédateurs sont rejoints par différentes espèces de vautours qui, de très haut, ont repéré le lieu du festin.

LES MONTAGNES

D ans tous les milieux, sauf peut-être dans les forêts tropicales et dans certains habitats marins, il existe des forces et des variables physiques, chimiques ou biologiques qui empêchent la pleine expression des dynamiques des milieux et donc des formes de vie elles-mêmes. Il s'agit de ce que les écologistes appellent des facteurs limitants. Dans chaque milieu l'expansion des populations animales, mais surtout végétales, se fait dans des limites bien précises justement à cause de ces facteurs. Certains sont biologiques, c'est-à-dire qu'ils se rapportent à des interactions avec d'autres êtres vivants ; ce sont la prédation, le parasitisme, la concurrence à l'intérieur des populations et entre les espèces, en somme l'éternelle « lutte pour la vie », sur laquelle les premières études de biologie de la population ont peut-être un peu trop insisté. Le résultat de toutes ces interactions avec les autres espèces est le contrôle, d'ailleurs absolument involontaire, des populations de chaque espèce. Si ces contrôles n'existaient pas ; on pourrait avoir, comme cela arrive quelquefois, de véritables explosions démographiques qui risqueraient d'endommager gravement le milieu. Dans d'autres milieux, ce contrôle se fait au contraire à travers des facteurs purement physiques ou chimiques, comme une température excessive ou trop basse, la présence de substances nocives, le manque d'eau ou la grande quantité des rayons ultraviolets. Les montagnes, les milieux extrêmes, les habitats difficiles possèdent plusieurs de ces facteurs et souvent en même temps. Les animaux et les plantes doivent en tenir compte et développer, pour survivre dans de tels milieux, des adaptations souvent extrêmes elles aussi. À tout cela il faut ajouter un fait important : les montagnes ne sont pas immuables, même du point de vue géologique. L'histoire de la naissance et de la croissance des montagnes, de leur évolution et de l'érosion constante à laquelle les soumettent les facteurs climatiques, se mêle étroitement à celle de la vie. Durant la plus grande partie de l'histoire de la Terre les montagnes n'existaient pas ou du moins elles étaient très différentes de celles que nous connaissons actuellement. Avant le Paléozoïque par exemple, il y a environ 600 millions d'années, le profil et la structure interne des continents et des océans étaient si différents que nous aurions beaucoup de mal à les reconnaître. Il n'existait aucune chaîne de montagnes dans les régions où nous sommes habitués à les voir ; à la place des futures Alpes ou de l'Himalaya par exemple, il y avait de grandes étendues marines. Seules quelques chaînes particulièrement vieilles, comme les Appalaches, remontent à environ 500 millions d'années mais de ces premiers épisodes d'orogénèse (formation des montagnes) il ne reste que très peu de traces, souvent ensevelies sous les sédimenta-

tions successives. Les Alpes se sont formées il y a à peu près 60 millions d'années, après la disparition des dinosaures, et l'Himalaya est encore plus jeune. La cause principale de la formation des montagnes est à rechercher dans le mouvement d'immenses plaques continentales. Quand deux de ces plaques ou plus entrent en contact et se heurtent, très souvent leurs bords se soulèvent formant ainsi de longues chaînes montagneuses. Ce processus est complexe et très lent mais ses résultats sont visibles dans le monde entier. En fait, les structures de base des Alpes, de l'Himalaya et des Andes sont très semblables. Issue d'une « rencontre » relativement récente entre l'Inde et le reste de l'Asie, l'Himalaya est l'une des chaînes de montagnes les plus jeunes : étant donné que le mouvement lui-même n'est pas encore terminé, la chaîne continue de grandir.

Imaginer les montagnes, symbole de puissance et d'immuabilité, comme l'une des caractéristiques les plus variables de la Terre est assez impressionnant. Les espèces vivantes, elles aussi, ont dû s'adapter à ces mouvements. Pour se développer et devenir de plus en plus complexe, le monde biologique a besoin de stabilité. Il n'est certainement pas facile d'essayer de vivre dans un milieu ambiant quand ce dernier disparaît peu à peu autour de vous, détruit par les forces de l'érosion ; ou de mener une existence précaire tandis que le terrain continue de pousser sous vos pieds, jusqu'à former d'immenses chaînes de montagnes, froides et arides. C'est la raison pour laquelle les animaux et les plantes qui habitent ces milieux sont des envahisseurs relativement jeunes et en transformation rapide, ou bien des formes de vie qui ont trouvé dans les montagnes un refuge éloigné des plaines où la concurrence était trop féroce. En raison d'ailleurs du changement extrêmement rapide des conditions ambiantes, les montagnes se sont révélées des lieux de grande vitalité écologique et évolutive. Enfin, ce sont des lieux encore relativement peu compromis, où il est souvent possible de respirer, même métaphoriquement, un air ancien.

Un autre type de changement a eu une influence sur le climat et a créé sur la Terre des conditions semblables aux altitudes de montagne : ce sont les glaciations, dont on ne connaît pas encore parfaitement la cause et qui ont apporté jusqu'au sud de l'Europe les glaciers et l'aridité typique des montagnes. Le front des glaciers s'étalait sur des continents entiers, détruisant des centaines d'espèces animales et végétales. Certaines de ces espèces ont réussi à trouver un abri tout en haut des montagnes, où la glace n'arrivait pas. Il est parfois possible, en étudiant quelques formes de vie simples que l'on trouve au sommet des montagnes, d'établir jusqu'où arrivait la glace.

Les conditions extrêmement rudes des zones froides ne permettent la vie que d'un très petit nombre d'animaux. La formation des montagnes est un processus très lent, géologiquement parlant, et seules quelques rares espèces ont réussi à s'adapter à la rigidité des climats froids ; parmi elles, on compte quelques prédateurs comme le lynx que l'on retrouve dans toute l'Eurasie et qui descend de prédateurs de l'hémisphère Nord. À droite, les cimes enneigées des Dolomites de Brenta, dans les Alpes orientales.

Sans cesse
à l'affût

Hyènes et vautours partagent la même renommée d'éboueurs et de mangeurs de charognes. Mais les hyènes sont aussi d'habiles prédateurs, qui capturent souvent des animaux vivants. Descendantes, comme tous les carnivores modernes, des premiers miacidés, elles remplacèrent d'autres carnivores moins développés et possédant une vie sociale moins complexe, les oxhyénidés et les hyénodontidés. Pratiquant la chasse en groupe à deux ou trois, ces animaux prédateurs sont devenus beaucoup plus efficaces. Au moment du repas tous les prédateurs sont rejoints par différentes espèces de vautours qui, de très haut, ont repéré le lieu du festin.

D'autres espèces, elles, se sont adaptées aux terribles conditions et ont laissé une documentation fossile assez claire pour que nous puissions comprendre comment vivaient et ce que mangeaient les espèces qui peuplaient la toundra continuellement balayée par le vent et soumise à un hiver quasi permanent. Curieusement les animaux les plus diffusés à cette époque ont laissé, de nos jours, des espèces semblables qui ne se trouvent que sous les tropiques. Ce sont des dizaines d'espèces de mammouths, robustes éléphants couverts de poils, et les énormes rhinocéros laineux. Selon une théorie désormais assez reconnue c'est l'espèce humaine, qui faisait alors son apparition dans la toundra sibérienne, qui aurait porté le coup de grâce à l'extinction de ces animaux. Le seul témoignage d'une faune aussi importante nous vient une fois de plus des fossiles. C'est par dizaines que l'on a trouvé des squelettes fossilisés de mammouths dans la toundra sibérienne. Dans certains cas les conditions particulièrement rigoureuses ont même empêché la décomposition de la chair, ce qui a permis de retrouver des animaux littéralement momifiés, recouverts de leur peau et l'estomac encore plein. On a pu ainsi étudier à fond les moindres détails de la vie des animaux disparus depuis si longtemps : le rêve de tout paléontologue. En même temps que les mammouths et les rhinocéros, le bœuf musqué, dernier représentant d'un autre groupe clairement nordique, par sa structure et son comportement, risqua de disparaître. Plus proche parent des bouquetins que des bœufs, confiné au nord du Canada et au Groenland, le bœuf musqué est pourvu d'un poil très épais et d'une constitution trapue qui ralentit la déperdition de chaleur. Contre les prédateurs, ils opposent une formidable cuirasse tout en corps et cornes, laissant au centre un espace où se réfugient les petits.

Les glaciations et les hautes altitudes ont donc créé des conditions climatiques et écologiques semblables dans le monde entier ; la conséquence est que les écosystèmes eux aussi sont assez comparables même si les espèces sont souvent très différentes. L'un des principes fondamentaux de l'écologie et de l'évolution est justement la ressemblance d'espèces dans des milieux où l'on rencontre les mêmes conditions ; c'est la raison pour laquelle des animaux et des plantes que nous trouvons dans la montagne (et qui étaient présents en Europe ou en Amérique du Nord durant les glaciations) vivent aussi, avec des formes semblables, aux latitudes élevées, près des pôles essentiellement. Là les caractéristiques du milieu, encore une fois semblables à celles des montagnes, sont dues à la distance qui sépare ces zones de l'Équateur et donc de la relative stabilité climatique des zones tropicales. Un exemple évident de cette convergence entre l'altitude et la latitude élevée est le fait que lorsque l'on gravit une montagne on rencontre, parfois à de très courtes distances, les mêmes bandes de végétation et les mêmes divisions d'habitat que celles que l'on peut observer en allant de l'Équateur vers les pôles. Quand des situations différentes, dans des lieux différents de la Terre, conduisent aux mêmes conditions écologiques, la ressemblance des écosystèmes est impressionnante, même si elle n'est souvent que superficielle. Il existe donc des écosystèmes de montagne équatoriaux, désertiques, tropicaux et tempérés, avec pour chaque zone des conditions et des nuances très vastes, une faune et une flore caractéristiques.

En dépit de l'apparente absence de concurrence, les conditions climatiques en haute montagne sont si sévères qu'elles limitent le nombre des espèces capables de survivre. Les chaînes alimentaires sont donc moins complexes et le nombre des proies et des prédateurs est peu élevé. La même surface qui peut nourrir en plaine un troupeau d'antilopes, ne peut entretenir en montagne que quelques bouquetins ou bœufs musqués. Cela explique pourquoi les couples d'aigles royaux, qui sont les oiseaux de proie les plus puissants et les plus efficaces, sont si peu nombreux et si dispersés sur le territoire. Seuls des systèmes montagneux vastes et complexes comme l'Himalaya possèdent des prédateurs qui vivent exclusivement dans ces habitats. Le plus mystérieux de ces prédateurs est la panthère des neiges, dont quelques exemplaires peuplent certaines vallées himalayennes.

La nécessité de survivre avec un nombre limité de proies a fait que seules les espèces les plus grosses et les plus puissantes, celles qui peuvent éventuellement rester longtemps sans proie, ont pu coloniser les montagnes. Parmi les plus fascinantes, on ne peut manquer de mentionner les vautours. L'un des plus grands oiseaux vivants capables de voler, le condor des Andes, a une envergure de plus de trois mètres. Le plus extraordinaire vautour européen, qui figure parmi les plus grands et les plus élégants est le gypaète. Son envergure énorme lui permet de résister aux vents très forts des hautes altitudes et de voler savamment en gaspillant le moins possible d'énergie précieuse. Elle peut atteindre 3 mètres alors que celle de l'aigle royal, par comparaison, atteint au maximum 2,2 m.

En contradiction apparente avec ce que nous avons vu jusqu'ici, les écosystèmes des latitudes basses et hautes, comme le Groenland, les îles arctiques canadiennes ou les îlots qui entourent l'Antarctique, font apparaître une grande différence entre les communautés végétales, pauvres en espèces et dont les rares plantes poussent au ras du sol, et les communautés animales. Si ce n'était pas la proximité de la mer, on pourrait facilement se croire

là en haute montagne, dans quelque prairie alpine balayée par les vents. Les populations animales par contre y atteignent des quantités énormes comme par exemple les quelques 20 000 manchots empereurs ou les dizaines de milliers d'oiseaux de la toundra. Leur « secret » réside dans le fait que l'énergie nécessaire pour leur vie ne provient pas des écosystèmes terrestres mais de ceux de la mer. Dans le cas de l'Antarctique, comme nous l'avons vu dans le chapitre sur la mer, un courant marin appelé convergence antarctique, amène à la surface une énorme quantité de nourriture qui permet l'explosion démographique des crustacés dont se nourrissent ensuite les manchots ou les cormorans du pôle Sud. Il y a une nette importation d'énergie vers l'intérieur des continents, un flux dont la haute montagne ne peut bénéficier. Cela explique la contradiction de deux écosystèmes, l'un terrestre très pauvre et l'autre marin très riche, qui cohabitent sur le même territoire.

Dans un territoire si riche en énergie, les conditions sur la terre sont aussi rigoureuses, si ce n'est plus, que celles de la haute montagne, que nous avons utilisée jusqu'à présent comme élément de comparaison. Les manchots empereurs sont les animaux qui doivent supporter les conditions climatiques les plus dures de la planète. Quand tous les oiseaux en ont fini avec leurs tâches reproductives et quittent l'Arctique, les manchots partent en se dandinant vers l'intérieur du continent le plus froid de la Terre. Ils y sont accueillis par des vents soufflant à 150 km à l'heure et des températures qui peuvent atteindre plusieurs dizaines de degrés en-dessous de zéro. Dans ce milieu particulièrement inhospitalier, les manchots accomplissent la plus délicate de leurs fonctions, la reproduction. Tandis que la nuit polaire approche et que le jour devient de plus en plus court, les manchots s'apparient, souvent avec le même partenaire que l'année précédente, et pondent un œuf. Les femelles n'ayant évidemment pas construit de nid, l'œuf finit sur les pieds du mâle qui l'y garde au chaud pendant cinquante longs jours. Passé ce délai la femelle revient, permettant au mâle de quitter l'intérieur glacial de l'Antarctique pour gagner à son tour la mer et la nourriture. Désormais c'est elle qui s'occupera du petit à peine né, encore aidée par le mâle qui revient de temps en temps la remplacer. Le manchot empereur supporte tout cela dans le seul but d'éviter la prédation qu'exercent, sous des climats plus « chauds », les orques et les stercoraires, grands dévoreurs d'autres espèces de manchots, plus petites et moins bien équipées pour supporter le froid du centre de l'Antarctique. D'autres animaux ne semblent pas souffrir si cruellement de conditions qui nous semblent insupportables ; l'ours blanc, par exemple, est si bien isolé dans sa fourrure qu'il doit parfois s'étendre sur la neige pour perdre un peu de chaleur. Pour lui aussi la reproduction a lieu pendant la nuit polaire. La femelle s'isole alors dans une tanière enfouie sous la neige et, dans une sorte de léthargie, elle met bas deux oursons. Il lui suffit ensuite d'une courte sortie et d'un phoque adroitement capturé pour se remettre du long jeûne et reconstituer ses réserves de graisse. Proies des ours au nord, prédateurs de manchots au sud, les phoques ont fini par envahir toutes les mers du globe. Les plus grands d'entre eux, les éléphants de mer, vivent sur les îles qui entourent le cercle polaire antarctique. Ils sont loin du froid supporté par les manchots empereurs mais les plages où les mâles installent leur harem sont battues par de violentes bourrasques pendant presque toute l'année. Un peu plus au sud, d'autres espèces de phoques trouvent de quoi se nourrir dans les très riches mers antarctiques. Le phoque de Weddell, par exemple, arrive à plonger jusqu'à 60 mètres de profondeur pour capturer des poissons et des calamars. Enfin, lorsque les petits des manchots empereurs reviennent à la mer, ils sont souvent la proie du féroce léopard de mer, dont la morsure a effrayé plus d'un membre des expéditions antarctiques.

Phoques, pingouins et ours sont tous des carnivores qui profitent de la richesse des eaux qui entourent les deux pôles. Ils ont choisi une filière évolutive risquée mais qui leur a réussi. Placée devant le dilemme de « choisir » entre une nourriture abondante et une grande concurrence (comme c'est le cas dans les zones tropicales) ou des conditions difficiles mais pas d'adversaire (comme dans les zones polaires) une espèce animale ne peut prévoir ce qui lui arrivera dans un avenir plus ou moins lointain. L'évolution est un pari réussi. Ainsi les ours polaires sont issus d'ancêtres pratiquement omnivores ; leurs adaptations à la prédation sont nombreuses et complexes, comme elle résulte de la différence avec toutes les autres espèces d'ours qui peuplent les forêts du monde. Les pingouins descendent sans doute d'oiseaux très semblables aux albatros actuels qui, étrangement ont perdu la caractéristique la plus voyante de leurs ancêtres, un vol puissant et continu. Jadis voiliers infatigables, ils sont devenus des nageurs rapides qu'une épaisse couche de graisse protège des rigueurs des eaux arctiques. La même couche de graisse se retrouve chez les quatre espèces de phoques présentes dans l'Antarctique et chez l'ours blanc. On a là, de nouveau, un phénomène de convergence évolutive évident : des adaptations semblables pour des situations égales.

Pages 104-105
*Massif du Huandoy,
Cordillera Blanca, Pérou*

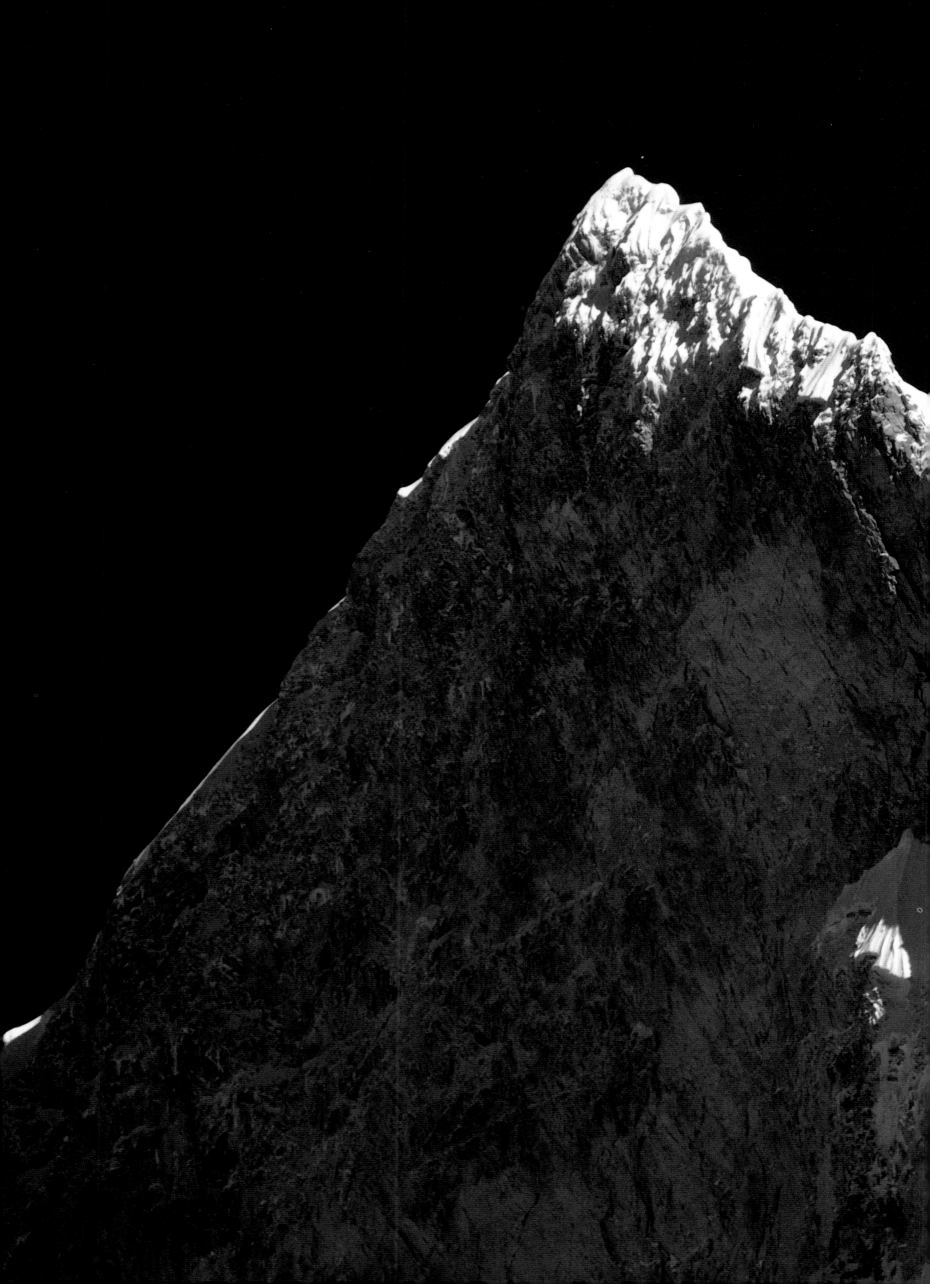

Les seigneurs de la glace

Les phoques et les manchots sont des exemples d'évolution très poussée vers la vie aquatique. Les premiers en effet ne reviennent sur terre que pour y délimiter un territoire et s'y reproduire ; les seconds uniquement pour y pondre. Issus tous les deux d'ancêtres nettement terrestres (les phoques de carnivores, les manchots d'oiseaux semblables aux albatros et aux pétrels), ils ont dû réinventer des solutions pour améliorer leur adaptation à l'eau et pour devenir des prédateurs aquatiques. En quelques millions d'années, soumis à de très fortes pressions évolutives, les phoques comme les manchots ont rapidement développé les caractéristiques qui les rendent si particuliers. Les phoques ne sont plus capables de courir rapidement sur la terre ferme mais en revanche ils ont acquis la capacité de rester sous l'eau plus longtemps que n'importe quel autre animal, à l'exception des cétacés. Les manchots ont transformé leurs ailes en nageoires pour mieux s'adapter à la vie aquatique mais ont, bien entendu, perdu la faculté de voler.

La seule espèce de manchots capable de vivre et de se reproduire sur le continent antarctique en plein hiver est le manchot empereur, qui doit supporter des conditions presque incroyables. Ce choix n'est cependant qu'en apparence suicidaire, car il

lui a permis de protéger ses petits des risques de prédation toujours présents dans les colonies de manchots qui se reproduisent à des latitudes supérieures. Les premiers pingouins dont on a retrouvé des traces dans les fossiles remontent à au moins 45 millions d'années ; certaines espèces pouvaient atteindre 1,6 mètre et peser jusqu'à 135 kilos.

Les ours blancs sont les seuls ours dont le régime soit encore totalement carnivore, surtout que le milieu qui les abrite ne peut rien leur offrir de mieux. Ils dépendent donc presque entièrement des phoques qu'ils trouvent au cours de leurs vagabondages dans l'Arctique. C'est aussi ce qui rend peu probable leur avancée vers le sud, même durant les glaciations qui recouvrirent l'Europe, l'Asie et le nord de l'Amérique de grandes calottes de neige. Les phoques, en effet, ne peuplent que les zones recouvertes de glace situées à proximité de la mer. Les premiers ours qui ressemblaient à notre ours brun, mais en plus petit, sont apparus en Europe pendant l'Oligocène ; ils se sont ensuite diffusés dans le monde entier, occupant généralement des habitats froids ou tempérés. Un milieu semblable à celui des pôles existait dans tout l'hémisphère Nord pendant les glaciations. C'est là que les gros ours des cavernes constituèrent les proies des premiers hommes provenant du Moyen-Orient ; la chasse excessive que ces derniers leur livrèrent finit par entraîner l'extinction de l'espèce.

Pages 114-115
Une belle image des landes désolées de l'Antarctique

LES FORÊTS

S i l'on étudie la végétation d'aujourd'hui, il semble que les formations herbacées aient conquis un espace plus important que les formations forestières à cause d'une plus grande rapidité dans la diffusion des graines, d'une plus grande résistance aux agressions de l'environnement — en somme d'une meilleure réponse aux questions du milieu. Mais il reste que les forêts, quel que soit le sens de ce mot, possèdent un charme différent de celui des prairies, plus complet semblet-il. Chaque territoire, en effet, a un écosystème, qui représente le point d'arrivée de son histoire, dans lequel on trouve le plus grand nombre d'espèces animales ou végétales, et où les interrelations et les échanges d'énergie entre les différentes populations sont les plus organisés et les plus difficiles à repérer. Ce niveau d'organisation, appelé climax, est représenté, pour la plupart des milieux, par une formation d'arbres de haut fût, d'âges différents, possédant une bonne couverture de sous-bois et un grand nombre d'espèces animales hautement spécialisées et aux interconnexions étroites : en somme, une forêt. Les forêts du monde entier (ou les milieux dont le nom évoque le même concept, comme les bois ou la jungle) ont cependant peu de choses en commun, au-delà de la présence prépondérante d'arbres. Une sombre taïga du nord ne possède pas une seule espèce semblable à celles des forêts tropicales, un bois méditerranéen ne partage aucune caractéristique commune avec une forêt de séquoïas d'Amérique du Nord. Le terme de forêt ne sert donc à indiquer qu'un terrain essentiellement recouvert d'arbres, dont le feuillage cache presque entièrement le sol.

La forme arborescente n'est pas une conquête récente des végétaux. Il existait déjà de vastes forêts au Dévonien Supérieur. Cette conquête d'une nouvelle dimension, la hauteur, a ensuite permis le développement d'un grand nombre d'espèces qui, comme cela arrive toujours, se sont partagé les ressources de l'écosystème.

Au cours du carbonifère, la végétation s'épanouit avec une diversité et une luxuriance extraordinaires. Les dépôts de charbon que nous exploitons aujourd'hui ne sont que les accumulations de cette matière végétale qui se sont formées il y a 360 à 280 millions d'années ; si l'on songe qu'il faut plusieurs mètres cubes de plantes vivantes pour faire un mètre cube de charbon, on peut imaginer l'extension et la masse énormes des végétaux qu'abritaient les marécages du Carbonifère. Les plantes dominantes de ces marécages étaient les fougères arborescentes ou les lycopodes, des ancêtres des plus modestes équisétinées ou des fougères qui vivent dans les sous-bois. Au fur et à mesure que le temps passait, des formes plus évoluées les remplacèrent, les conifères d'abord, puis les angiospermes, les plantes à fleurs, dont l'origine remonte au Crétacé.

De toute façon, primitives ou évoluées, conifères ou angiospermes, la structure des formations végétales que développèrent ces arbres a toujours été caractérisée, comme dans les forêts actuelles, par une grande complexité. Et c'est là sans doute le point commun de toutes les forêts. Au-delà des espèces animales ou végétales qui les composent, la tridimensionnalité des forêts, qui allient la hauteur à la surface plane, permet à un grand nombre d'autres espèces de trouver une niche écologique propre. Une espèce se nourrit sur la pointe des branches les plus fines, une autre sur le terrain sousjacent, une autre encore cherche sa nourriture sous les aiguilles des pins. Plus les espaces sont nombreux dans un écosystème, plus la quantité des lieux physiques où se nourrir, se réfugier, se reproduire et vivre est grande et plus il y a d'espèces qui peuvent cohabiter à l'intérieur de cet écosystème, comme nous l'avons dit dans le chapitre sur la mer. D'ailleurs les forêts, avec certains habitats marins, sont les lieux où les niches écologiques sont les plus variées, les plus minutieusement partagées, les plus nombreuses. Mais pour stabiliser un écosystème, c'est-à-dire pour le rendre apte à abriter un grand nombre d'animaux et de plantes en relation étroite entre eux, il faut que l'écosystème lui-même soit stable le plus longtemps possible. Les glaciations ou l'avancée des déserts ne facilitent ni la stabilité ni l'augmentation de la complexité et des rapports entre les espèces.

Pour ces raisons historiques et aussi à cause des limites climatiques actuelles, certaines forêts ne sont pas aussi complexes et extraordinairement riches qu'on pourrait le penser. Le fait que la richesse des espèces augmente — ce qui ne veut pas dire seulement un plus grand nombre d'animaux mais aussi un plus grand nombre de rapports entre eux et avec les plantes — se vérifie quand on va des latitudes extrêmes, pôle Sud et pôle Nord, vers l'Équateur. Et c'est justement en observant cette évolution que nous examinerons, comme dans un voyage idéal, les forêts du monde.

Les premières vraies forêts que l'on rencontre sont les énormes étendues de conifères de la taïga russe et de la taïga canadienne. Comme nous l'avons vu dans le chapitre consacré à la montagne, dont la taïga reproduit certaines conditions, les milieux extrêmes sont dominés par les conifères qui supportent mieux la longue période sans photosynthèse et où la disponibilité hydrique est extrêmement réduite. Le gel permanent diminue en effet fortement l'humidité de l'air et rend le climat presque aussi aride que dans un désert ; les feuilles doivent donc économiser au maximum leur eau précieuse. Mais même si la productivité est réduite, aucune plante latifoliée ne pourrait survivre dans

Les plus gros singes vivants, les gorilles, ne se trouvent plus que dans trois zones réduites de l'Afrique équatoriale, leurs populations ne cessant de diminuer. Des études génétiques complexes ont établi que la différence génétique entre l'homme et le gorille est très faible, peut-être à peine 3 % ; celle qui existe entre l'homme et le chimpanzé est encore plus petite. Cela signifie que le changement de quelques gènes seulement a suffi pour qu'un singe des forêts se transforme en un intelligent bipède des savanes.

ce milieu. La différence énorme entre l'été et l'hiver empêche qu'un grand nombre d'espèces puisse vivre dans la taïga toute l'année. En hiver, seuls l'extraordinaire geai de Sibérie et la grande chouette lapone demeurent dans la taïga. Cette dernière espèce illustre très bien l'une des stratégies des habitants des forêts de conifères. Quand les proies (campagnols et lemmings) sont nombreuses, les portées peuvent atteindre cinq petits ; quand les petits rongeurs de la forêt sont rares, la chouette peut ne pas se reproduire du tout. Les insectivores sont peu nombreux et ne restent dans la taïga que quelques semaines, se déplaçant rapidement vers le sud dès que le temps empire. Les mammifères peuvent atteindre des dimensions considérables, justement pour ne pas perdre leur précieuse chaleur. Les ours, les loups, les élans et les gloutons sont les prédateurs les plus gros mais on trouve également une grande quantité de mustélidés, petits et très rapides, qui déciment l'abondante faune de rongeurs, et plusieurs strigidés minuscules (comme la chouette naine ou la chevêchette) qui réussissent à capturer des souris ou des campagnols aussi gros qu'eux. Dans certaines zones, les hivers sont si rigoureux que même les aiguilles des conifères pourraient souffrir ; on ne trouve alors que des mélèzes, qui sont, parmi les rares gymnospermes, les seuls à perdre leurs feuilles en hiver. Parmi les groupes d'oiseaux les plus caractéristiques du milieu forestier, on compte les pics, qui ont développé toute une série d'adaptations absolument uniques en leur genre, comme une queue très raide qui leur sert d'étal ou, chez plusieurs espèces, une langue allongée terminée par de petites barbules pointues utilisée pour capturer les insectes qui vivent dans le bois.

Au fur et à mesure que les conditions deviennent plus clémentes, que les hivers sont moins longs et moins durs, les conifères sont remplacés par les angiospermes plus adaptables. La structure de la forêt devient alors plus complexe car les espèces qui la composent sont beaucoup plus nombreuses que celles qui peuplent la taïga. En dépit de la grande diversité des conditions et des latitudes où elle pousse, la forêt tempérée a une structure très semblable dans le monde entier, même si l'on ne peut pas dire qu'il en existe un seul type. Un aspect curieux de l'écologie de cette forêt est le fait que dans l'hémisphère Sud les mêmes latitudes sont dominées par des forêts sempervirentes ; peut-être qu'autrefois seules les espèces de l'hémisphère Nord, qui avaient eu à supporter de longues périodes de sécheresse, réussirent à développer l'adaptation que représente la perte des feuilles.

Les forêts tempérées ne sont pas une formation unique et monotone. Elles comprennent aussi ce que l'on appelle les forêts sempervirentes, dont la plus connue est la forêt méditerranéenne. Désormais réduit à un pâle reflet de ce qu'il était avant l'arrivée des Grecs et des Romains, le maquis méditerranéen est un carrefour fondamental pour la faune et la flore. Des espèces provenant de l'Afrique et de l'Asie, des plantes adaptées au climat sec ou humide se rencontrent dans ce petit coin de terre. Le stade le plus évolué, le climax, est une forêt sempervirente où les arbres sont adaptés à un climat sec. La période la plus chaude de l'année entraîne aussi une sécheresse persistante et leurs feuilles petites et coriaces permettent à ces plantes de résister au manque d'eau.

Au fur et à mesure que l'on approche des tropiques la forêt perd son caractère saisonnier et se transforme en quelque chose d'unique et d'extraordinaire, la forêt tropicale, que seulement récemment (et qui sait, peut-être trop tard) nous avons reconnue comme le milieu le plus riche de la surface de la terre. Précédées par des bois moins touffus — des forêts saisonnières où les arbres subissent encore l'influence de la distribution inégale des pluies — les forêts tropicales, au contraire, couvrent complètement la surface laissée libre par les rivières, et parfois, comme les forêts de palétuviers en Afrique, elles arrivent même à pousser dans les fleuves. Comme dans les récifs coralliens, tout ici permet le plein développement des formes de vie. La lumière est abondante et distribuée d'une façon égale tout au long de l'année, les éléments nourrissants sont recyclés extrêmement rapidement et la température ne descend jamais en dessous de valeurs confortables. Vues d'en haut, les forêts tropicales apparaissent comme un tapis ininterrompu de feuilles. Sous la première couche, celle des arbres les plus hauts, qui ont réussi à pousser jusqu'à atteindre la lumière, il existe au moins quatre ou cinq autres étages d'arbres. Ce sont les milieux les plus riches de la Terre en espèces et bien qu'ils n'occupent que 6 % de la superficie de notre planète, ils abritent de 20 à 40 % des espèces animales et végétales. Les forêts représentent la biocénose la plus complexe que la vie ait jamais développée sur notre planète, leur organisation et leurs dynamiques sont d'un ordre supérieur comparées aux autres milieux et elles possèdent de nombreuses caractéristiques uniques de forme, de biologie et d'interaction entre les espèces. Bien qu'elles ne soient pas très anciennes, les forêts tropicales ont permis le développement et l'évolution d'un nombre absolument impressionnant d'espèces, souvent uniques et endémiques. Dans ces milieux où la décomposition est ultra rapide, les fossiles sont très rares. On a cependant découvert, parmi les argiles fossiles, une *Meganeura*, gigantesque libellule dont l'envergure atteignait presque 70 cm ; et certainement, dans les forêts du Jurassique, des blattes de grande taille ou des scorpions, des araignées et des mille-pattes

Les insectes sont présents dans toutes les forêts du monde avec des milliers d'espèces. Parmi les groupes les plus répandus, on trouve les papillons, **en haut**, et les mantes, **en bas**. À cause de leurs petites dimensions et de leur fragilité, il n'est pas facile de retrouver des restes d'insectes remontant à des époques très éloignées. Une des meilleures sources de vestiges reste l'ambre, une résine fossile que les arbres sécrètent justement pour se défendre des insectes et dans lesquelles ces derniers restent piégés.

peuplaient le sol exactement comme aujourd'hui. Avant que les forêts ne fussent habitées par les vertébrés, les insectes y jouaient le rôle à la fois de proies et de prédateurs. Aujourd'hui encore, le monde des insectes dans les forêts tropicales est plus important peut-être que celui des animaux supérieurs : il suffit de penser aux hordes de fourmis qui sillonnent le sol ou qui construisent des nids extrêmement compliqués au sommet des arbres.

C'est sans doute l'évolution qu'ils ont subie dans les forêts humides du Mésozoïque qui fait que l'on n'a pas retrouvé de fossiles semblables à ceux des amphibiens modernes. Les amphibiens tropicaux actuels nous stupéfient tant par la variété de leurs formes et de leurs couleurs que par la présence dans leur peau, pour bon nombre d'entre eux de composés qui sont parmi les plus toxiques du monde animal. Il n'existait pas dans les forêts du passé d'animaux de très grandes dimensions, comme il n'en existe pas dans les forêts actuelles. Nous pouvons toutefois imaginer que la végétation luxuriante et l'abondante production de fleurs et de fruits ont pu attirer aux abords de ces forêts une grande quantité d'animaux. D'énormes *Styracosaurus* venaient chercher dans les clairières de la nourriture et un abri. Peut-être, comme cela se passe pour les cerfs d'aujourd'hui qui, avec les combats entre mâles, réussissent à établir une hiérarchie (qui accordera à quelques rares élus la possession d'un groupe de femelles), les clairières d'alors résonnaient-elles du choc des cornes de ces géants herbivores. Après la disparition des dinosaures, les reptiles sont devenus une composante mineure de la faune terrestre ; mais dans les forêts leur nombre et leur variété de formes rivalisent encore avec ceux des mammifères et des oiseaux. En version miniature, les basilics n'ont rien à envier à leurs anciens cousins. Leurs armatures et leurs crêtes, qui sont plus développées chez les mâles, sont semblables à celles du *Spinosaurus*, l'un des prédateurs les plus actifs et les plus féroces du Crétacé. Sur les branches courent les iguanes, ces véritables petits monstres qui, avec les crocodiles, sont pratiquement les seuls reptiles à nous donner une réelle impression d'ancienneté et d'évolution ininterrompue. Les serpents, qui constituent un autre groupe très nombreux et très diffusé dans les forêts, sont au contraire très évolués. La perte de leurs pattes s'est révélée utile pour se déplacer rapidement et silencieusement sur le sol de la forêt. Et là où il est impossible de voir intervient l'extraordinaire « thermomètre » des serpents, qui leur permet de percevoir une différence de quelques dizièmes de degré et de poursuivre sans se tromper leurs proies au plus profond de l'obscurité. C'est aussi des branches d'une forêt du Jurassique que s'est élancé, pour son premier vol hésitant, le célèbre *Archaeopteryx*, l'ancêtre désor-

mais reconnu de tous les oiseaux. Nous pouvons avoir une vague idée de ce à quoi ressemblait l'*Archaeopteryx* en observant, dans les épaisses forêts du Pérou, le vol maladroit d'un hoazin, et en découvrant les griffes que les petits de cet étrange oiseau portent encore sur les ailes et qui leur servent pour grimper et pour échapper à leurs nombreux prédateurs. L'hoazin n'est pas un oiseau primitif, loin de là, mais il a en quelque sorte retrouvé certaines adaptations qui étaient utiles à l'*Archaeopteryx*. L'héritage que les forêts ont légué à l'homme est extrêmement subtil et ne peut être repéré qu'avec attention. La nécessité d'évaluer soigneusement les distances lorsqu'on se déplace parmi les arbres a entraîné l'évolution d'yeux frontaux, pouvant permettre une vue binoculaire efficace. Parmi les plus importants animaux à vision frontale, nous trouvons bien sûr les singes. Le passage d'un groupe de singes complètement arboricoles à d'autres possédant des habitudes plus terrestres a sûrement constitué le premier pas vers le développement d'une espèce complètement bipède et tout à fait libérée des forêts. Peut-on dire, en ironisant un peu, qu'en allant chercher fortune ailleurs les singes arboricoles ont laissé la forêt évoluer pour son propre compte ?

Tenter d'évaluer la richesse de vie des forêts à partir des rares fossiles que nous possédons revient à compter les animaux dans un champ en plein hiver pour donner une idée de la diversité de la vie. Si, au contraire, nous pénétrons dans la forêt tropicale d'aujourd'hui, ou mieux encore si nous survolons cette forêt, ce que nous avons devant les yeux est très différent. D'après certaines données, il semblerait qu'à elle seule la couche supérieure des forêts puisse contenir jusqu'à trente millions d'espèces, et cela seulement en ce qui concerne les insectes. À chacune de ces espèces, on peut en relier des dizaines d'autres, dans un enchevêtrement de connexions et de relations difficiles à suivre. Mais pourquoi une telle richesse ? Comme pour la mer et d'autres milieux dont nous avons déjà parlé dans ce livre, ce qui compte dans un écosystème ce n'est pas tant son étendue que le nombre de niches écologiques qu'il abrite, niches elles-mêmes grossièrement déterminées par le nombre de milieux physiques créés par la végétation. Dans les forêts, il existe au moins cinq couches de végétation différentes ; c'est un peu comme s'il y avait cinq écosystèmes l'un sur l'autre, chacun abritant une communauté végétale et animale, ou pour mieux dire une série de communautés, toutes différentes les unes des autres. La première couche est riche en lumière et directement soumise à l'action des pluies alors que les autres ne reçoivent que quelques rayons de soleil et l'eau qui ruisselle vers le bas. La dernière couche, celle des herbes et des

arbustes, reçoit très peu de lumière et peu de vent : là, la croissance est lente mais constante, car les variations ambiantes sont presque inexistantes. C'est le royaume des détrivores, des champignons et des animaux du sol, qui profitent des matières mortes qui ne cessent de tomber sur la terre. À chaque branche des arbres les plus gros sont accrochées des dizaines d'autres espèces qui utilisent simplement l'arbre gigantesque pour atteindre la lumière. Chacune de ces plantes épiphytes (qui vivent sur les arbres) peut à son tour abriter des dizaines d'autres petites espèces. Il peut arriver qu'une petite grenouille très colorée passe toute sa vie dans les feuilles d'une broméliacée de la forêt brésilienne, sans jamais voir le sol, ni en avoir particulièrement besoin. La couche que les auteurs anglais appellent *canopy* (baldaquin) est celle qui abrite la plus grande partie de la vie de la forêt : des oiseaux, des insectes, des singes, des prédateurs et des fleurs à plus de vingt-cinq mètres du sol. Outre la richesse verticale, il existe aussi une richesse horizontale. Aucun arbre de la forêt ne contribue avec plus de 1 % au nombre des espèces. La présence de tant d'espèces différentes crée aussi une biomasse très élevée. Même si l'on a corrigé certaines estimations des années soixante-dix qui étaient trop élevées, il semble que la biomasse moyenne tourne autour de 176 tonnes par hectare.

Il existe au moins quatre régions de forêt tropicale (américaine, africaine, indo-malaise et australienne) et chacune est particulière, contrairement à l'uniformité de la forêt boréale. Chacune possède des espèces différentes qui dominent des habitats différents et se partagent les ressources selon des dynamiques différentes. Cela signifie que les façons de « joindre les deux bouts » dans la forêt sont beaucoup plus nombreuses que dans n'importe quel autre endroit ; de ce fait, les biologies des animaux qui la peuplent sont incroyablement complexes. Il n'est pas difficile de remarquer, ne serait-ce qu'en feuilletant ce livre, que toutes les espèces des forêts tropicales sont plus colorées, plus voyantes, plus bizarres que les animaux communs que nous avons l'habitude de voir. Cela, semble-t-il, parce que l'abondance de la nourriture a permis à l'évolution de laisser libre cours à sa fantaisie et à sa créativité. Beaucoup d'animaux, libérés de la contrainte de devoir chercher en permanence de la nourriture, ont pu transférer une partie de leurs énergies pour devenir plus complexes et pour mieux s'équiper pour la lutte intraspécifique (à l'intérieur de l'espèce). Un grand nombre d'ornements extraordinaires, de cris, de becs, de chants complexes et de couleurs éclatantes ne sont qu'un moyen de plus pour attirer les femelles et donc pour essayer de se reproduire mieux ou plus que les autres mâles. Dans les forêts de la Nouvelle-Guinée vivent des oiseaux qui figurent parmi les plus grands artistes de la nature : les mâles des oiseaux-jardiniers construisent, pour attirer les femelles, des nids extrêmement compliqués aux formes magnifiques, qui ne servent ni d'abri ni de lieu d'incubation des œufs. Dans les branches supérieures, les oiseaux de paradis s'exhibent jusqu'à devenir de pures formes abstraites, toujours dans le seul but d'attirer les femelles.

Laboratoire qui permet d'étudier l'évolution actuelle, menacé comme aucun autre milieu par l'homme, la forêt a aussi été le berceau de notre espèce, d'où nous sommes sortis pour nous transformer en singes de savane, en bipèdes évolués et intelligents. Aujourd'hui encore, nos très lointains parents sont l'élément le plus apparent des forêts du monde entier. Et ces cousins beaucoup plus proches que sont les singes anthropomorphes (gorilles, chimpanzés et orangs-outangs) sont encore des animaux des forêts. Enfin, toujours dans les profondes forêts de l'Asie et de l'Amérique du Sud vivent quelques-uns des prédateurs les plus beaux et les plus puissants de la Terre, les tigres, les léopards et les jaguars.

Les forêts tropicales du monde entier sont l'une des représentations les plus hautes de la nature et de l'évolution. L'espèce humaine saura-t-elle les mériter et les protéger ?

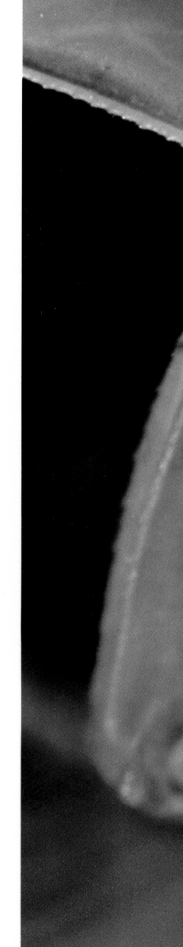

Pages 124-125
Forêt tropicale africaine

Des îles oubliées
par le temps

Souvent, sur les petites îles qui se trouvent loin de la terre ferme se sont développées des formes d'animaux de dimensions minuscules ou, au contraire, immenses. L'exemple le plus éclatant de ce dernier cas est le varan de Komodo, qui peuple quelques îles de l'archipel de la Sonde. Sa taille gigantesque (jusqu'à 3 mètres de long pour 90 kilos) en fait un modèle fort probable sinon des dinosaures, du moins des ancêtres les plus primitifs des maîtres de la Terre pendant le Mésozoïque. Les varanidés, dont fait partie le « dragon de Komodo », sont des animaux robustes qui

possèdent certaines
caractéristiques rappelant
celles des serpents. Comme
cela était le cas, il y a
quelques millions d'années,
avant l'apparition des
mammifères, les varans sont
les plus grands prédateurs de
ces îles.

Des scènes comme celles-ci ne peuvent manquer d'évoquer la préhistoire. Les écailles relevées du varan sont presque identiques à celles du Carnotaurus, *un dinosaure prédateur théropode qui vécut au Crétacé inférieur en Argentine. Les dents toutes semblables renvoient aux gros reptiles prédateurs du Mésozoïque, des* dinosaures aux ichthyosaures. Même les grosses griffes ne doivent pas être très différentes de celles d'un chélofissède, prédateur très rapide qui atteignait trois mètres de long. L'absence de gros mammifères carnivores dans les îles où vivent les varans a permis l'évolution et la survie de cette espèce singulière.

Des éclairs
Dans la forêt

Un basilic et un serpent arboricole rappellent par leur couleur le vert de l'intérieur de la forêt. Il a fallu plusieurs millions d'années, après la conquête de la terre ferme par les plantes, pour que se créent les réseaux écologiques complexes qui caractérisent aujourd'hui les forêts tropicales. Peu après l'arrivée des plantes vertes, des espèces petites et insignifiantes, les premiers arthropodes, semblables à des scorpions herbivores, se hissèrent sur la terre. À leur poursuite, quelques poissons se transformèrent en amphibiens. Ces derniers s'affranchirent ensuite complètement de l'esclavage de l'eau en dotant leurs œufs de coquilles dures et devinrent des reptiles. Il n'est pas improbable que le groupe qui fut à l'origine des mammifères fût aussi ancien que les reptiles. Et l'écosystème de la forêt fut complet.

Pages 134-135
Tigre du Bengale,
Ranthambor, Inde.

On trouve des caméléons dans toute l'Afrique mais les formes les plus étranges sont celles que l'on rencontre à Madagascar, où plusieurs espèces portent sur la tête des cornes ou des protubérances. Souvent, les îles qui se sont détachées des grands continents et qui sont restées isolées pendant des millions d'années sont

peuplées de plantes et d'animaux particuliers et endémiques. L'absence de catégories d'animaux déterminées, comme les gros prédateurs, permet à d'autres groupes de se développer et de les remplacer dans leur fonction écologique. L'île de Madagascar, l'Inde et l'Australie sont des exemples de ce phénomène.

Sur les arbres des forêts tropicales se déroule une vie tout à fait particulière et souvent des espèces arboricoles comme le paresseux, **en haut**, et l'oiseau de paradis, **en bas**, n'ont aucun contact avec la terre. Lorsque l'on regarde un petit paresseux se déplacer la tête en bas, il est difficile d'imaginer qu'il y a six ou sept millions d'années, il existait des paresseux

terrestres, gros comme des ours ou plus, qui parcouraient les plaines de l'Amérique du Sud en arrachant les feuilles des arbres pour se nourrir.

Pages 140-141
Des entelles sur un ficus, Ranthambor, Inde.

Pages 142-143
Petit d'orang-outang, Indonésie.

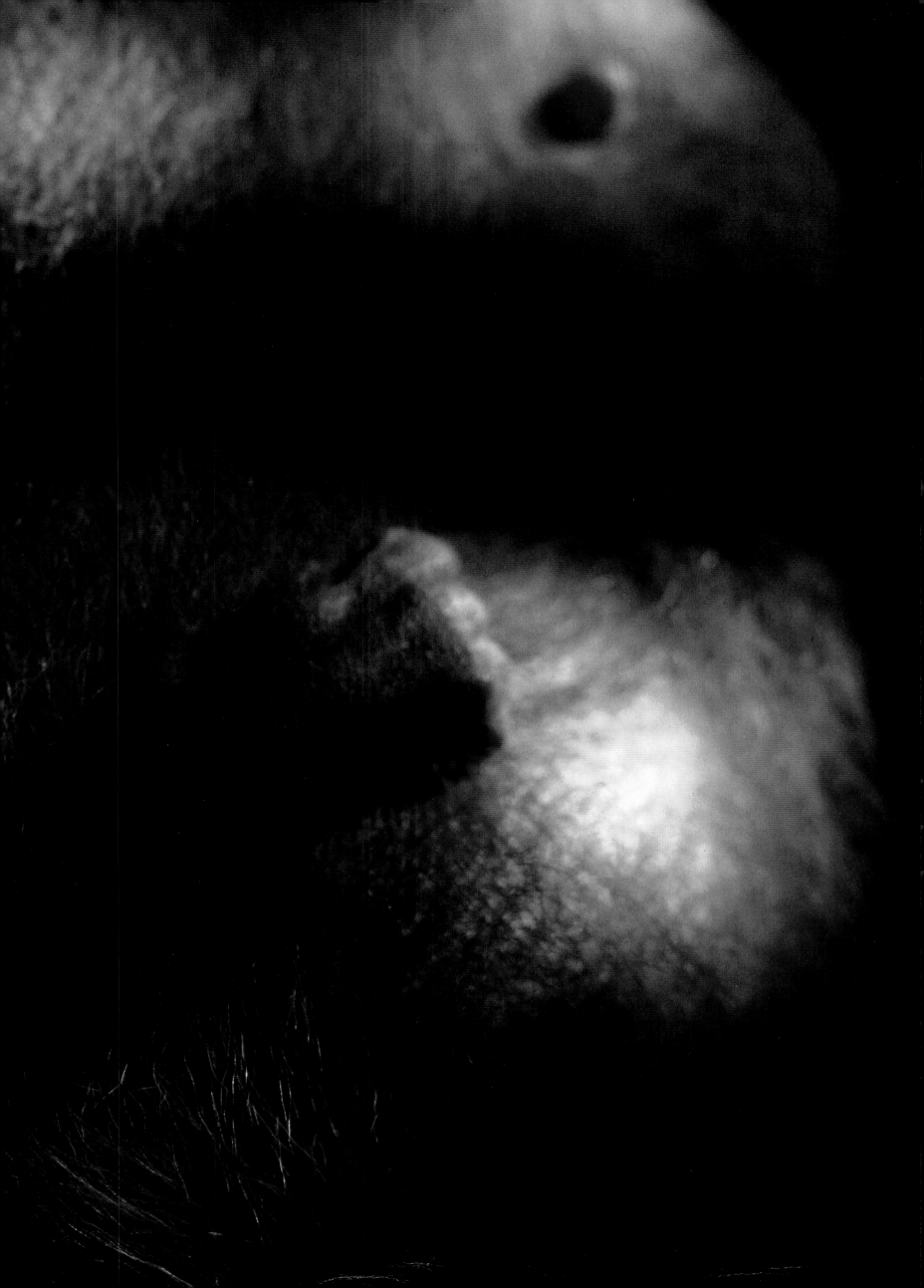

CRÉDITS PHOTOGRAPHIQUES

Les éditeurs tiennent à remercier : Kelvin Aitken : p. 6-7, 32-33, 43. D. Allan/Panda Photo : p. 109. Kurt Amsler/Planet Earth Pictures : p. 65 en haut. Alessandro Bardi/Panda Photo : p. 117. Jean and Des Bartlett/Bruce Coleman : p. 85. Andre Bartschi/Bruce Coleman : p. 58-59. Berol Cinematrograph/Shot Photo : p. 38 en haut, 65 en bas. Marcello Bertinetti : p. 99, 104-105, 128-129, 130-131, 138. Bildarchiv M. Harvey/Panda Photo : p. 78 en haut. Jim Brandenburg/Planet Earth Pictures : p. 74. Bojan Brecelj et Arne Hodalic : p. 24-25. Jane Burton/Bruce Coleman : p. 54, 119. John Cancalosi/Bruce Coleman : p. 79, 80-81. Giuliano Cappelli/Panda Photo : p. 4-5. Giuliano Colliva : p. 84. Emanuele Coppola/Panda Photo : p. 136 en bas, 137. Nigel Dennis/Antony Bannister Photolibrary : p. 96-97. Nicholas Devore III/Bruce Coleman : p. 78 en bas. J. Dragesco/Panda Photo : p. 14. GiPi Dore : p. 42. Andrea Ferrari/Overseas : p. 2-3. Jean-Paul Ferrero/Ardea London : p. 142-143. Michael Fogden/Bruce Coleman : p. 132 en haut. Michael Fogden/Grazia Neri : p. 139 en haut. Foley/Zefa : p. 60-61. Michael Freeman/Bruce Coleman : p. 72-73. M. Boul Fon/Panda Photo : p. 88-89. E. R. Gargiulo/Shot Photo : p. 19. M.P. Kahl/Bruce Coleman : p. 90. Frans Lanting/Zefa : couverture. Davide Maitlend/Planet Earth : p. 123 en haut. Masahiro Lijima/Ardea London : p. 27, 28-29, 68, 69 en haut. Marco Mecklenburg : p. 44. McDougal Tiger Tops/Ardea London : p. 69 en bas. Rolando Menardi/Panda Photo : p. 21. WWF F. Mercay/Panda Photo : p. 87. Mark Nissen : p. 34-35. M. Oggioni/Panda Photo : p. 122 en haut. Osmond/Ardea London : p. 12-13. Vincenzo Paolillo : p. 30, 38 en bas, 39. D. Parer et E. Parer-Cook/Ardea London : p. 70-71, 108, 114-115, 116. Daniele Pellegrini : p. 100. L. Piazza/Panda Photo : p. 51. Luciano Ramires : p. 98. Armstrong Roberts/Zefa : p. 22-23. Jeffrey L. Rotman : p. 16-17, 48-49, 50. N. Rosing : p. 26, 112-113. Peter Scoones/Planet Earth Pictures : p. 31. Johnatan Scott/Planet Earth Pictures : p. 66-67, 76-77, 92-93. Massimo et Lucia Simion : p. 64 en bas. Marty Snyderman/Planet Earth Pictures : p. 45. Ron et Valerie Taylor/Ardea London : p. 18. Joe Van Warner/Bruce Coleman : p. 86. Günter Ziesler : dos de couverture, 10-11, 52-53, 56-57, 94-95, 124-125, 133, 134-135, 139 en bas, 140-141. Claudio Ziraldo : p. 40-41. Adrian Warren/Ardea London : p. 8-9. James D. Watt : p. 47. Michael Melford Wheeler Pictures/Grazia Neri : p. 132 en bas. Richard Woldendorp : p. 15, 55, 75. Rodney Wood/Planet Earth Pictures : p. 64 en haut. Konrad Wother/Bruce Coleman : p. 136 en haut.